灯台
湖の道
ラッキーたちの
野営地
洞くつの
入り口
洞くつの出口
果てしない湖
ニンゲンの町
遊園地
川
街へ

サバイバーズ

SURVIVORS

果てなき旅

エリン・ハンター
井上 里 訳

小峰書店

SURVIVORS 5
THE ENDLESS LAKE

by Erin Hunter

Series created by Working Partners Limited

Japanese translation published by arrangement with
Working Partners Limited through The English Agency (Japan) Ltd.

サバイバーズ　果てなき旅

目次

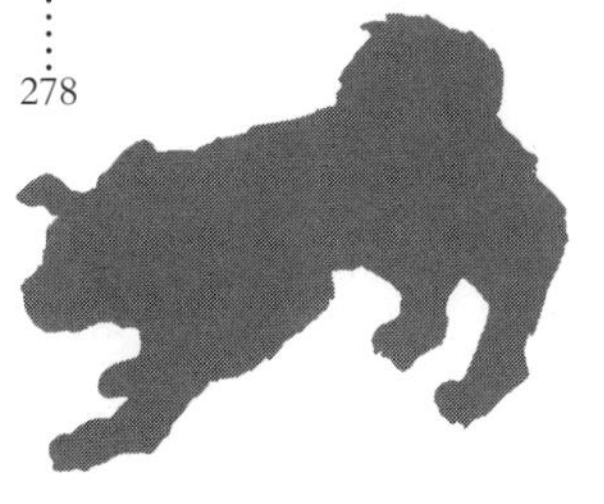

サバイバーズ おもな登場キャスト

ラッキー（ヤップ）

シェットランド・シープドッグとレトリバーのミックスで、金色と白の毛並みをもつ。狩りが得意。元〈孤独の犬〉

〈野生の犬〉 オス

ベラ（スクイーク）

ラッキーのきょうだいだが、ニンゲンに育てられた。仲間おもいで、勇敢。元〈囚われの犬〉

〈野生の犬〉 メス

ミッキー

白黒まだらの牧羊犬（ボーダー・コリー）。群れをまとめること、狩りをすることに長けている。元〈囚われの犬〉

〈野生の犬〉 オス

デイジー

父犬はウェスト・ハイランド・ホワイト・テリア。母犬はジャック・ラッセル。短い足と毛むくじゃらの顔が特徴。元〈囚われの犬〉

〈野生の犬〉 メス

マーサ

黒くやわらかな毛並みの大型犬。ニューファンドランド。おだやかな気性で、いつも仲間を気にかけている。泳ぎが得意。元〈囚われの犬〉

〈野生の犬〉 メス

サンシャイン（オメガ）

白く毛足の長い小型犬。マルチーズ。陽気な性格のいっぽう、臆病な一面も。元〈囚われの犬〉

〈野生の犬〉 メス

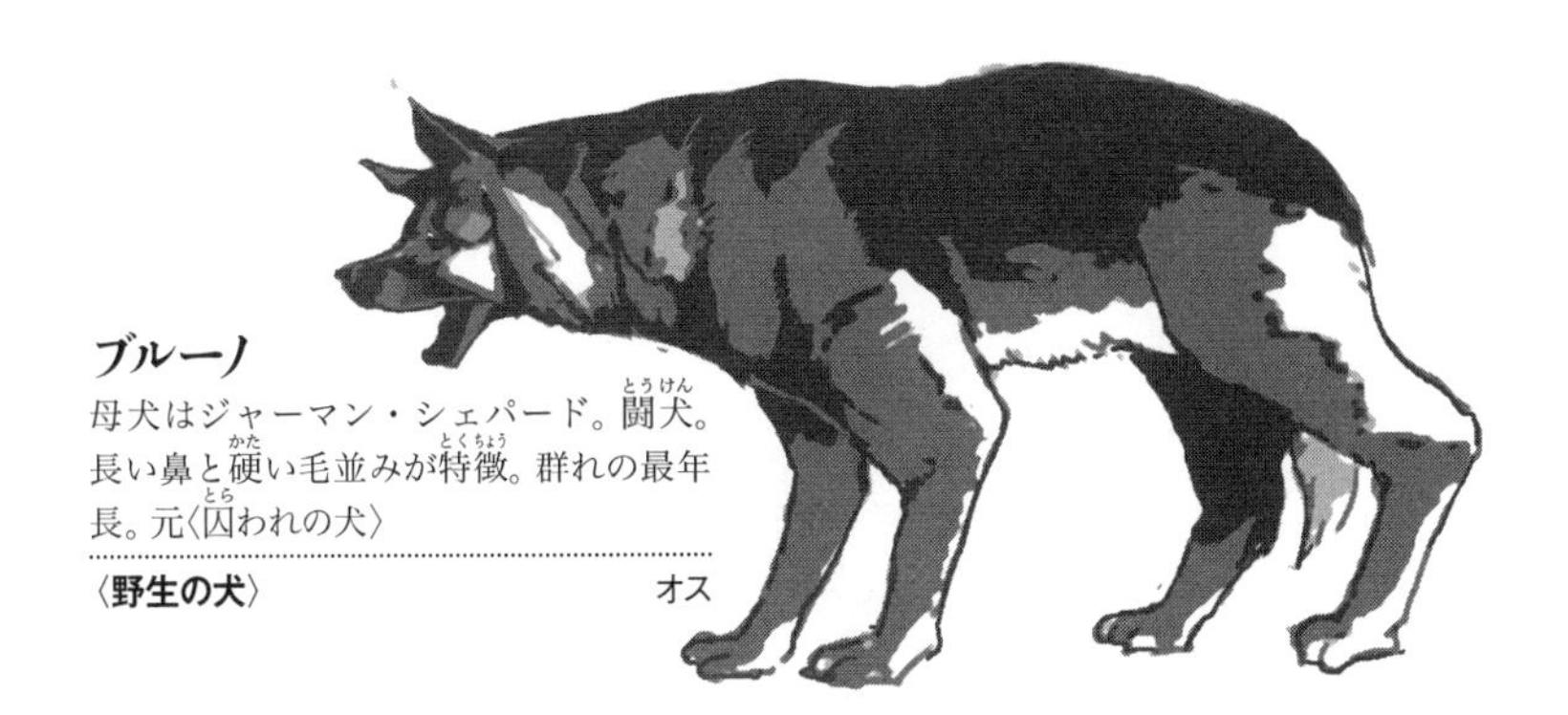

ブルーノ

母犬はジャーマン・シェパード。闘犬。長い鼻と硬い毛並みが特徴。群れの最年長。元〈囚われの犬〉

〈野生の犬〉 オス

アルファ

オオカミの血を引く大型犬。その姿は優雅であると同時に力強い。規則を重んじ、野生の群れを厳しく統制している。

〈野生の犬〉 オス

ベータ（スイート）

短くなめらかな毛並みでほっそりとした体つき。足が速く、身のこなしが軽い。群れで生きることを大切と考えている。

〈野生の犬〉 メス

ホワイン（元オメガ）

ずんぐりとした体躯に、しわくちゃの顔と小さな耳が特徴。

〈野生の犬〉 オス

フィアリー

がっしりとした首と力強いあごをもつ黒い大型犬。ムーンの子犬たちの父親でもある。ニンゲンに捕らえられ、のちに死亡。

〈野生の犬〉 オス

ムーン

白黒まだらの牧羊犬。三匹の子犬の母親(一匹は死別)。敵の足跡をたどること、においをかぎつけることに長けている。

〈野生の犬〉 メス

ストーム（リック）

フィアースドッグの子犬。しなやかな筋肉とがっしりしたあご、鋭い牙をもつ。

〈野生の犬〉 メス

〈野生の犬〉

スナップ　メス

褐色と白の小さな猟犬。

スプリング　メス

長い耳をした黒と褐色の犬。

ダート　メス

茶色と白の小柄なやせた猟犬。

装画／平沢下戸
装幀／城所潤・大谷浩介（JUN KIDOKORO DESIGN）

プロローグ

子犬たちが、はやく外に出ようと押しあっている。ヤップは小さな前足でガラス戸をたたきながら、かん高い声で鳴いた。部屋の奥から大またでこちらへ歩いてくるニンゲンは、子犬たちをよけながら、変わったうめき声をあげてあくびをしている。

きょうだいのスクイークが金色の毛におおわれた鼻でじゃれついてきて、ヤップもふざけて押しかえした。

「子どもたち、がまんしなさい」母犬が叱りつける。「もう、赤ちゃんじゃないのよ」

それをきくと、ヤップは急いですわり、胸を張って頭をまっすぐに起こした。

〈太陽の犬〉が空に駆けあがり、まばゆい光でガラスをかがやかせている。ヤップはまぶしさに目を細めながら、ぼくにはちゃんとした名前があるんだ、と自分にいいきかせた。ぼくはもうラッキーだ。新しい名にはまだ慣れないけど、おとなの犬らしくふるまわなくちゃ。おとなしく、ニンゲンがガラス戸に手を伸ばすのを待った。

母さんのいうとおり、静かにがまんしていよう――。みんなといっしょにはねたり吠えたりしたくても、ぐっとこらえる。だが、ガラス戸が勢いよく開くと、ヤップはみんなといっしょに外にとびだした。

「きょうそう！」スクイークが叫んで、裏庭を走っていく。

あとを追おうとしたヤップは、ぴたっと足を止めた。地面が凍り、鋭いかぎ爪のようにかがやいている。踏むと、ざくっと音がする。ざらざらして、冷たい。

うしろから近づいてきた母犬がいった。「霜よ。怖がらなくてもだいじょうぶ」

スクイークは慎重に歩きながら、短いしっぽを地面と平行に伸ばしている。ほかのきょうだいたちは、前足で地面をたたいたり、目を丸くして母犬のもとに駆けもどったりしていた。

ヤップは、こわごわ芝生のにおいをかいだ。「すごくつめたい」

母犬が、安心させるように耳をなめてくれた。「冷たいけれど、危険じゃないわ。だいじょうぶ」

ヤップはそれをきいて、ほっとした。自分はもう大きい。臆病な赤ん坊なんかじゃない。母犬から離れると、ざくざく音を立てる地面のにおいをかいだ。草がほおひげをくすぐってくる。

驚いたことに、いつもの庭のにおいは、しめった冷たい空気の下に隠れている。芝生の下の濃い土のにおいも、かむとにがい虫のにおいも、どこかに消えている。胸いっぱいに息を吸う。その瞬間、興奮して、体がぞくっとした。霜のにおいの下に、なにかべつのにおいがまぎれている。温かな生き物のにおいだ。

おいしい小さな獲物が、少し前にここを通ったらしい。

自然にゆれはじめたしっぽを、ヤップは急いで止めた。きょうだいたちは、庭に続くドアのそばで追いかけっこをして、騒がしく吠えながらはねまわっている。ヤップは、においのほうが気になっていた。獲物が下にもぐっていったのはまちがいない。きっと見つけてみせる！　母さんに、もう子どもじゃないってことを証明してみせる。手伝ってもらわなくちゃいけないだろうけど。

ヤップは立ち止まり、鼻を地面に近づけた。獲物をみたら、母さんはなんていうかな？

森の犬よ、猟犬の守り神よ。賢くすばやく、勇敢な犬よ、どうかぼくを、霜の下にいる獲物のもとに導いてください――。ヤップは、満足して前足をなめた。上手にお祈りができた。森の犬が感心してくれますように。

そのとき、獲物のにおいが、一段と強くなった。森の犬の返事だ！　急いでにおいをたどる。

ざくざく音を立てる芝生を歩いていくと、庭のつきあたりにある木の小屋にたどりついた。ところが、においはそこで消えている。ヤップはあせって、鼻をふんふんいわせた。

どこ？　獲物はどこにいる？

また、においがもどってきて、ヤップは口のまわりをなめた――すぐそこだ。まちがいない。きょうだいたちの鳴き声は無視して、ヤップはにおいに集中する。においは、木の小屋の下からただよってきているらしい。小屋の下を前足でひっかいても、凍った草がからみあって掘りすすめられない。もどかしくて、のどの奥から長いうなり声がもれる。

いい猟犬になるには、がまんが必要よ――母犬の言葉を思い出す。

ヤップは大きく息を吸って、また狩りをはじめた。においの元は絶対に小屋の下にいる。つかまえる方法がきっとある……ヤップは、小屋のまわりを探しはじめた。においがだんだん強くなると、うれしくてしっぽがぴくぴくゆれる。そのとき――穴があった！　獲物は、小屋の下に巣穴を作っているのかもしれない。

「ヤップ、なにをしているの？」母犬が、ガラス戸のそばで吠えた。

「なんでもない。すぐ終わるから！」獲物を持っていったら、母さんはびっくりするぞ。きっとほめてくれる！　ヤップは母犬のほうをちらっと振りかえった。スクイークがそばではねまわり、母犬のしっぽにじゃれついている。おかげで少し時間かせぎができそうだ。あとちょっとで、獲物にたどりつける……。

穴に頭をもぐりこませる。小さな穴だが、獲物のにおいがとたんに強くなった。甘く塩気のあるにおいをかいで、口の中につばがわいてくる。鼻先に力をこめ、頭をもっと深く押しこむ。穴はまっすぐ小屋の下に続いているらしい。獲物はすぐそこだ。眠っているのか、鳴き声や動く音はしない。おいしそうなにおいだけが、少しずつ濃くなっていく。

ヤップは、穴に片方の前足を差しこんで、掘りはじめた。土は冷たくてかたい。力を振りしぼって、もう片方の前足もねじこみ、穴の中へ少しずつ、もぐりこんでいく。前足が両方とも入ってしまうと掘りすすめるのが楽になった。日の光が差しこむと、中がよくみえた――やっぱりだ。穴は通り道のようになって、小屋の下の地面に続いている。前足を必死で動かして、氷のように冷たい土を掘っていく。温かな生き物のにおいが、ますます強くなる。体が穴の中に沈み、地上に出ているのはうしろ足だけになった。

頭上でザザッという音が聞こえ、ヤップはぴたっと動きを止めた。そのとたん、がくっと前足が下に沈んだ。頭を土の上に出そうとした瞬間、乾いた土がばらばらと崩れ、一気に体が闇の中に落ちた。きょうだいたちの吠え声が遠のいていく。

「たすけて！」叫ぶと、口に土が入ってくる。体が穴をすべり落ちていく。土で息ができない。必死で吠えようとしても、〈大地の犬〉に押さえつけられて、声が出ない。

冷たい土にがんじがらめにされて、上も下もわからない。心臓がどきどきして、自分でもその音がきこえるくらいだ。暴れれば暴れるほど、体が下に沈んでいく。息を整えようと、動くのをやめる。目の前は真っ暗で、物音ひとつせず、生き物のにおいさえ消えている。胸の中で心臓がどきどきいっている。スクイークは、こんなことをいっていた。〈大地の犬〉は、おなかがすくと、犬を食べてしまうのだという。あのときは信じなかった――スクイークのでたらめだ。ところが、いまになって、急に不安になってきた……はあはあ息をしながら、母犬を呼ぼうと鳴く。もがけばもがくほど、気分が悪くなってくる。空気がうすく、頭がくらくらする。〈大地の犬〉、おねがいです！　ヤップは心の中で祈った。おねがいだから、はなしてください！　頭の中には、〈大地の犬〉の大きな黒い獣のような姿が浮かんでいた。その獣は、世界と同じくらい大きい。ふしぎなことに、そう思ったとたん、少しずつ気持ちが落ちつき、呼吸が楽になっていった。そのとき、声がきこえた。

「ヤップ、だいじょうぶよ。ここにいるわ」

母犬の声だ！　土のせいでくぐもってきこえる。ずっと上のほうにいるようだ。

「きこえる？　落ちついて、こっちへ上がってらっしゃい。ゆっくりよ」

ヤップは、のどの奥で鳴くことしかできなかった。

「ヤップ、ここにいるから。すぐ近くよ」

それをきくと、ヤップは、体重をそろそろと右の前足にかけた。土は崩れたが、体は沈まない。ヤップは左の前足に力をこめ、両方のうしろ足を体に引きよせた。ゆっくりと、一歩ずつ、母犬の声がするほうへ進んでいく。

「その調子よ、あと少し」

声が近づいてきている。とびだしたい気持ちをこらえながら、声のするほうへ、少しずつ、少しずつ、よじのぼっていく。ふいに、鼻先が土の上につきだし、めいっぱい息を吸いこんだ。

きゃんきゃん吠える子犬たちに囲まれながら、母犬は穴の中に鼻先をもぐりこませ、ヤップの首をそっとくわえた。ぐっと力をこめて体を引っぱりあげ、そばの地面に静かにおろす。

子犬たちはヤップにとびつき、体をなめたり、じゃれてかんだりした。

「ヤップのばか！」スクイークが鼻で体を押してくる。「もう会えないかとおもった！」

「そっとしてあげなさい！」母犬が叱りつけると、子犬たちは後ずさった。母犬が、ヤップの顔についた土をなめて、きれいにする。鼻と鼻を合わせて、厳しい声でいった。「あんなこと、二度としないでちょうだい！」それから、優しい声になって続けた。「あなたを失うなんて、耐えられないんだから」

ヤップは目を閉じ、ほっとして体から力をぬいた。

「こわかった」小さな声で母犬にいう。「〈大地の犬〉に食べられて、もう、もどれないのかと思った。たたかっても、どんどん体が沈んでいくんだ。たたかうのをやめたら、こわいってきもちもなくなったよ」

ヤップは目を開けた。

母犬が優しい顔でみおろしている。「戦う必要なんてないのよ。〈大地の犬〉は、死んだ犬たちを連れていく。でもそれまでは、わたしたちを守り、力を与えてくれる。昼も夜もみまもってくれる——必要になったときは、きっと助けてくれる」母犬の言葉は、ヤップの心の中で、子犬のように転がった。きょうだいたちが、ヤップの体から土をなめ取ってくれている。

必要になったときは、きっと助けてくれる……。

1 夜明け

ラッキーは、ぶるっと震えて目を覚ました。夜空には雲ひとつない。ラッキーと仲間の犬たちは、川辺の茂みの中で、身を寄せあっていた。集まって体を温めあおうとしても、風は凍えるように冷たい。川面をわたってきて、ラッキーの金色の毛の下にまで吹きこんでくる。

あたりをみまわすと、ベラはマーサの大きな黒いわき腹に頭をのせ、リックは――いや、いまではストームという名になった――、マーサの前足のあいだで丸くなっている。ストーム。どうして、嵐(ストーム)なんて名前を選んだのだろう？ ラッキーは胃がきゅっと痛くなった。どうしても、その名前がなにかを予知しているように思えてしまう。この幼いフィアースドッグは、ラッキーが何度となく悪夢にみた、あの恐ろしい戦いと関係があるのだろうか。

犬たちが、嵐(ストーム)のように争うあの夢と――。

あの戦いがなんなのかも、いつ起こるのかも、よくわからない……だが、悪夢はいつもなまなましかった。混乱も、牙が鳴る激しい音も、現実のようだった。ラッキーは、しっぽをわき腹に巻きつけた。ストームは、茶色い前足に頭をのせてぐっすり眠り、両耳をうしろに倒している。ラッキーは、容赦なくテラーを襲っていたストームの姿を、忘れられなかった。

トウィッチは横向きになって眠っている。なくした前足の付け根がみえていた。ムーンは、ラッキーに背中を押しつけ、両方の前足で目をおおっている。口を小さく震わせ、片方の牙をのぞかせてかすかに鳴いている。「フィアリー、わたしはここよ……ここよ……」

連れ合いの夢をみているのだろう。あのりっぱな猟犬は、夢の中で生きているにちがいない。はやく〈野生の群れ〉と合流したかった。弱って死んでいったフィアリーの姿を思い出すと、心細くなる。つい、基地のことを考えてしまう。黄色い服を着た黒い顔のニンゲンたちが、大きなジドウシャの中にホケンジョのような場所を作っていた。フィアリーは、ほかの生き物たちといっしょに、そこに閉じこめられていたのだ。キツネも、ウサギも、コヨーテもいた……茶色いシャープクロウまでいた。どの生き物も、一匹残らず病気になっていた。

ラッキーたちは、必死で生き物たちを逃がし、フィアリーといっしょに森に隠れた。ところが、そこでテラーの群れに出くわしてしまった。

ラッキーは身ぶるいした。あんなにたくましかったフィアリーが、ジドウシャの中に閉じこめられているあいだに子犬のように弱ってしまっていた。自分の身を守ることさえできなかった。やせおとろえた姿と、熱でうるんだ目を思いだすと、つい鳴き声がもれてしまう。以前のフィアリーは、あんなに力強かったのに。

それに、あのにおい……フィアリーの血は、毒の川のようなにおいがした。

みつけたときには、もう手遅れだったのだ。かわいそうなフィアリー……。

そのあとラッキーたちは、この茂みの中で夜を過ごすことにして、みんなでムーンを囲んだ。冷たい風から、そして連れ合いを失った悲しさから守るために。一番に目を覚ましたラッキーは、ムーンを起こさないようにそっと立ちあがると、トゥイッチのしっぽをまたぎ、茂みの下からはいだした。小さな緑の葉には霜がおりている。草も、一本一本が白くかがやいていた。ラッキーの毛まで、霜のせいでかたくこわばっている。

茂みの反対側へいき、草の生いしげる野原をみわたした。地面は大きくうねり、小山や浅い谷を作っている。振りかえって川に向きなおり、凍った草を踏みしめながら川のほとりへいった。水は凍っていないが、舌を刺すように冷たい。ラッキーは、ほんの少しだけ飲んだ。

夜の冷気に、塩のようなにおいがまじっている。下流に向かって進むにつれて、においはますます強くなっていた。だが、どこからただよってくるのかわからない。鼻を地面に寄せて、自分たちがたどってきたにおいを探す。アルファとスイートたちは、この道を通っていったにちがいない。もう、あまり離れていないはずだ――時間にすれば一日分くらいだろう。スイートの選択には、いまでも傷ついていた。オオカミ犬についていくことを選び、ラッキーといっしょに黄色いニンゲンにとらえられたフィアリーを探しにいこうとしなかった。それでも、スイートは、あのときの約束を守り、ゆく先ざきでにおいを残してくれている。

ムーンたちも、仲間と合流すれば気が晴れるかもしれない。ラッキーも、テラーたちと戦ってから、ずっと不安な気持ちがぬぐえない――あんなに勇敢でたくましかったフィアリーが、あっけなく死んでしまうなんて……。ラッキーはうなだれた。あの奇妙な群れも、フィアースドッグの群れも、いまもどこかにいる。〈野生の群れ〉といっしょになれたら、きっと少しは安心できる。

寒くなってきたことも心配だった。赤い葉の季節が過ぎると、氷の風の季節が訪れた。氷の風の季節は、何度も経験してきた。だが、街に住んでいたころは、ニンゲンの大きな建物が、強い風をさえぎってくれた。野原で吹く風は、ラッキーの毛皮をつきさし、血が凍りそうなほど冷たい。母犬はむかし、霜はちっとも危険じゃないのよ、と教えてくれた。だがラッキーは、街にいたころも、ほんとうに霜は危険じゃないんだろうか、と首をかしげた。フェレットという名の〈孤独の犬〉のことを思いだす。ショクドウの外でいつも残飯をあさっていた。とりわけ寒さのきびしかったある夜、フェレットは公園で丸くなって眠り、二度と目を覚まさなかった。きいた話によると、あの年老いた犬は、氷と同じくらいかたく冷たくなっていたという。母犬はとても賢かったが、知らないことだってある。

ラッキーは、雨粒を振りはらうときのように、体にまとわりつく悲しい記憶を振りはらった。あたりをみまわす。ここはまだ、テラーの群れのなわばりだ。川岸に立っていても、あの犬たちのかすかなにおいが風に乗ってただよってくる。仲間といっしょに眠っているトウィッチを振りかえりながら、なんてすごいんだろう、と思った。トウィッチはアルファのもとを去り、片方の前足をなくし、べつの群れに入った。不自由な足をものともせずに生きのび、かんしゃく持ちのテラーのような犬といっしょにいながら、分別を失わなかった。

テラーの群れは、いまごろめちゃくちゃになっているはずだ。群れを率いていたテラーが死んだいま、あの犬たちはどうするのだろう。協力しあって、前より平和な群れになってほしい。争ってばかりの群れにはなってほしくない。

ラッキーは凍った草地にすわり、首を軽く振った。

この先トウィッチは、どこにいけばいいのだろう。勇敢で、芯の強い犬だ――フィアリーを探す手伝いをしてくれ、最後には、ラッキーたちとともにテラーと戦った。いまは、少し休んだほうがいい。〈野生の群れ〉にもどれば、きょうだいのスプリングといっしょにいられる。そのほうが安全だ。

ラッキーはうしろ足で耳をかいた。アルファは、トウィッチがもどることを許さないだろう。前に会ったときは、裏切り者呼ばわりして、きっぱりと、受け入れるつもりはない、といった。だからといって、テラーを倒すラッキーたちに力を貸したあとで、元の群れにもどるわけにもいかない。もしかしたら、〈孤独の犬〉として生きていくのかもしれない。森で見かけたときは、独りでりっぱに生きていた。

〈大地のうなり〉が起こる前は、ラッキーだって〈孤独の犬〉だった。はるかむかしのことのように思える。

ラッキーは川に向きなおった。空に浮かんだ〈月の犬〉は丸く、静かな水面に影を映している。夜明けの光が、かすかにむこう岸を照らしている。

ラッキーはため息をつき、眠る仲間のもとにもどった。「起きる時間だよ」小さく声をかけながら、みんなの鼻を軽くたたいていく。

ストームはまばたきをした。大きく上を向いてあくびをすると、とがった白い牙がのぞく。

「まだ暗いのに……」

「群れのみんなは、きっと夜明けとともに移動をはじめる。いま出発すれば、追いつけるかもしれない」

ストームはそれをきくと、おとなしく立ちあがった。トウィッチも伸びをし、三本足で体を起こす。

ベラがぶるっと震えた。「寒いわね」

ラッキーもうなずいた。

「足を動かしてみて。こんなふうに」ムーンはそういうと、左右に揺れながらぴょんぴょん前後にはね、毛についた霜を振りはらった。

ベラはムーンの動きをまねて思いきり体を振り、ラッキーも二匹に続いた。赤ん坊のころから〈野生の犬〉として生きてきたムーンは、寒さをやり過ごす方法を、いくつも知っているらしい。

ストームも、みんなをまねて、はねようとしている。ところが、前足がもつれてバランスをくずし、あわてて体勢を立てなおした。ムーンが子犬を鼻でなでて、耳を軽くなめて、もう一度お手本をみせる。「めまいがしたら、ゆっくりやってみて。前、うしろ、あせらなくていいの。

マーサ、もっと体を振ったら霜が取れるわ」

ラッキーは、ストームが上手にはねるのをみまもりながら、仲間を助けようとするムーンの姿に胸を打たれていた。みんなの体から霜をなめとり、もっと動いてごらんなさい、とはげましている。かわいそうなムーン。すでに子犬を一匹失っているというのに。連れ合いまで失ったいま、仲間の面倒をみれば、さびしさが少しはまぎれるかもしれない。

「ちょっとあったまったかも」ベラは前足をなめ、ムーンについて川岸にいった。犬たちは、冷たい水を飲んだ。マーサは、がっしりした黒い前足で少し水に触れてみて、飲むのはやめておこうと決めたらしい。岸に沿って少し歩き、足を思いきり伸ばして体をほぐす。そうすると、ジドウシャのように大きくみえる。

ベラが首を伸ばした。「塩っぽいにおいがだんだん強くなってるわね」

トウィッチがふんふんにおいをかぐ。「なんのにおいだろう？」

「さあ……」ベラは少し目を閉じた。「でも、知ってる気がする。〈囚われの犬〉だったときに食べた何かに似てるの」

トウィッチは、ふに落ちない顔だ。「食べ物のにおいには思えないけど」

「ううん、食べ物みたい」ストームが横からいった。「塩気があって……血みたいだもん」

ラッキーは、子犬がとがった小さな牙をなめるのをみて、なんとなく、落ちつかない気分になった。マーサのほうを向いて、急いで話題を変える。「マーサだって、〈大地のうなり〉の前は〈囚われの犬〉だった。どう思う？」

マーサは、暗い川をじっとみつめた。「わからない。でも、ベラと同じで、わたしもこのにおいは知っている気がするの」

ぐるる、といううなり声のような音がきこえて、ぱっと両耳が立った。だがそれは、ストームのおなかの音だった。子犬はうなだれ、気まずそうな上目づかいでラッキーをみた。

「ごめんなさい」

「ぼくもおなかがすいた。急いで何かさがそう」ラッキーはあたりをみまわした。寒くなってくると、獲物をみつけるのはむずかしい。昨日も、やっとのことで若いウサギを二匹つかまえたが、みんなで分けあうと、それぞれの取り分はほんの少ししかなかった。「何か食べてから、群れのあとを追うことにしよう」

ストームは、ほっとしたようにうなずいた。

犬たちは川沿いに歩きながら、凍った土のにおいをかぎ、獲物の気配を探した。

ラッキーはゆっくりと動き、音を立てないように、せいいっぱい注意した。だが、歩くたびにどうしても、凍った草がぱりぱりと音を立てる。川面をなでて吹いてくる風が塩っぽいにおいを運んできて、獲物のにおいをかき消してしまう。ラッキーはため息をついた。こんなとこじゃ、獲物なんかみつからない――。

「川をみて！」マーサの低いうなり声で、ラッキーははっとした。振りむくと、川面でぷかぷか浮かんでいる生き物がちらっとみえた。くるっと向きを変え、遠ざかっていく。

「魚？」ストームが声をひそめていう。

ラッキーは首を振った。いまの生き物には、たしかに毛皮があった。

犬たちはあっけにとられて、銀色がかった水の中でくるくる向きを変える生き物をみつめていた。〈太陽の犬〉のひげが、生き物の毛皮をかすめる。生き物が口を大きく開けてあくびをすると、毛皮がちらちら光った。

ベラがきっぱりとした声で、興奮してざわめく犬たちを静かにさせた。「あれはきっと川イタチよ。話にきいたことがあるわ」

ラッキーは首をかしげた――ほんとうだろうか。イタチは地中の巣穴で暮らしているし、泳げるなんて、きいたこともない。ベラにそういおうとしたとき、ふたたび生き物が川面に浮かびあがってきた。丸い顔や短い鼻面は、イタチよりもシャープクロウに似ているし、耳は、とても小さい。細長くがんじょうそうな体で、水をはね散らしながら泳ぐと、先のとがった長いしっぽがみえた。くるっとあおむけになり、かぎ爪のついた足を宙にあげたまま、おだやかな川の流れに運ばれていく。

「風下に隠れましょう」ムーンがいった。川沿いに歩いていくムーンのすぐうしろを、マーサとラッキーが追う。トウィッチとベラとストームは、その場に残った。獲物を囲むのは狩りの常識だ。後ろにいる犬たちが獲物を追い立て、前にいる犬たちが逃げ道をふさぐ。川をらくらくと泳ぐ獲物を、いつもの方法でつかまえられるのかはわからなかったが、ほかにどうしようもない。水が冷たすぎて、マーサでさえ泳げない。そもそも、あの生き物に追いつけるほど速く泳げる犬はいない。陸にあがってきてくれることを願うしかない。むこう岸にいってしまうのを止める方法はないし、むこうにいってしまったらそれまでだ。

ムーンとマーサとラッキーは、川辺の草むらの中に隠れた。口をなめながら静かに見張っていると、川イタチは、夜明けの光の中でぱしゃぱしゃ泳ぎはじめた。ふいに向きを変え、近くの岸に向かいはじめる。驚いたことに、ラッキーたちが身をひそめているほうへ泳いできた。まっすぐに、マーサの黒い体がのぞいている茂みに近づいてくる。マーサとムーンがちらっと目を合わせた瞬間、川イタチは、凍った草の上にするりとあがり、ぶるっと体を振った。すかさずマーサが地面をけり、獲物(えもの)にとびかかる。川イタチが、悲鳴をあげてもがく。必死で逃(に)げだし、川岸を走りはじめる。そのあとを、マーサ、ムーン、ラッキーが追う。思ったとおりだ——陸の上では、犬たちのほうがすばやい。川イタチは短い足で走り、川にもどろうとしている。助かるには泳ぐしかない。ラッキーは獲物(えもの)の前に回りこんだ。川イタチは、ぎょっとしたような鳴き声をあげて後ずさった。そこにマーサがとびかかり、がっしりした前足で押(お)さえつけると、長い首にかみついてとどめをさした。

ラッキーたちは、イバラの茂(しげ)みのそばに寝そべり、爪(つめ)のあいだにはさまった肉をなめとっていた。

「川イタチっておいしい！」ストームがあくびまじりにいう。

「味はウサギに似てるけど、もっと肉汁がたっぷりね」ベラもうなずいた。「くせになりそう」

ラッキーは顔をくもらせた。この獲物(えもの)をつかまえられたのは、運がよかったからだ。このあたりには、ウサギどころか、ネズミもいない。アルファたちが、獲物(えもの)のたくさんいる場所に向かっていますように……。それでもみんなは、食べ物にありついたおかげで元気になっていた。マーサが水辺にいき、〈川の犬〉に感謝の祈(いの)りをささげる。

「慈悲深い〈精霊たち〉よ、おいしい食べ物に心から感謝します」そういうと、ふかぶかと頭を下げた。

ラッキーは、マーサが祈りを終えると立ちあがった。〈太陽の犬〉は、川面をけって、空をゆっくりとのぼりはじめている。「出発しよう。きっと、そろそろアルファたちも動きはじめる」オオカミ犬は、ブレードの群れから離れるために、どれくらい先まで移動するつもりだろう。

マーサが水辺からもどってきた。「フィアースドッグから離れなくちゃいけないのはわかってるわ。でも、それだけが旅の目的じゃないわよね。どこに向かうの？　目的地は？」

ラッキーは、どう答えればいいのかわからなかった。とにかく一刻も早く出発したい一心で、川沿いを歩きはじめる。仲間もあとに続いた。

かわりに返事をしたのはベラだった。「安心して住めるところよ。静かで、平和で、ウサギとおいしい水がたっぷりあるところ」

ストームは、しっぽを元気よく振りながら、群れのまわりをはねまわっている。「アルファは、そういう場所をみつけた？」

「そうだといいね」ラッキーは答えながら、むずかしいだろうな、と考えていた。ストームは、いくら体が大きくても、まだまだ無邪気な子犬だ。守ってやらなくては。ストームのむかしの仲間を避けるためなら、どんなことだってする――今度また、この子を力ずくで連れていこうとしたら許さない。

低木の茂みのあいだをすりぬけていくと、ひげのようなトゲが引っかかいてくる。ラッキーは体を振り、鼻をぴくぴくさせた。小さく吠える。このにおいはなんだ？　腰を高くし、しっぽをこわばらせる。

「べつの犬がいる！」

ベラとムーンがたちまち警戒し、耳をぴんと立ててあたりをみまわす。ラッキーはもう一度においをたしかめて、その犬がフィアースドッグではないことに気づいた。冷たい風が運んできたこのにおいには、激しい怒りや敵意のようなものがまざっていない。

トウィッチが前に進み出て、キイチゴの茂みに向かって吠えた。「スプラッシュ、おまえか？」

かさかさという音がしたかと思うと、かたい毛の小さな黒い犬が、茂みからはいだしてきた。うしろから、さらに六匹の犬が用心深く出てきて、体についた枯葉を振りはらう。

テラーの群れだ！　ラッキーはトウィッチを守ろうと近づいた。ベラもぴったりととなりに立つ。すぐうしろから、マーサ、ムーン、ストームのにおいがして、ラッキーは勇気がわいてきた。

だがトウィッチは、助けを必要としているようにはみえない。黒い犬が足を弾ませながら近づいてきて、両方の前足を伸ばしてしっぽを振り、そっと頭を低くする。ほかの犬たちもおなじしぐさをして、緊張しながら、自分たちは味方だと示そうとしている。トウィッチはかつての群れに近づき、鼻と鼻を触れあわせながら、毛羽だったしっぽを勢いよく振った。

川面で風がかん高い音を立てた。とたんに、スプラッシュと呼ばれた犬は、ぎょっとしてうしろを振りかえった。ラッキーは、スプラッシュのおどおどしたようすに気づいた。そして、思いだした——以前、遠くから見張っていたときも、この犬はテラーにいじめられていた。

どの犬もがりがりにやせて、自信がなさそうだ。テラーに支配されていたときは、凶暴そうにみえた。それもしかたがなかったんだ——ラッキーは考えた。ちらっとストームをみる。死にかけたテラーのそばで立っていた、あの姿を思いだす。この子がテラーにとどめをさしたのは、楽にしてやるためだったのだろうか、それとも、血に飢えていたからだろうか。ラッキーはその疑問を頭から追いやった。

トウィッチは、〈野生の群れ〉に向きなおった。「こっちはスプラッシュ。群れのベータみたいな地位にいたんだ」

「だけど、テラーはベータなんか必要としていなかった」スプラッシュは小さな声でいって、つつましく頭を下げた。トウィッチを振りかえる。「おまえを追ってきたんだ。だって……」仲間と目を合わせる。「おまえの居場所はこっちにあるんだから」

ラッキーはトウィッチをみた。長い耳の犬は、問いかけるように首をかしげている。

「おまえはおれたちの仲間だ」やせた灰色の犬が吠えて、前足で地面をたたいた。

小さなうなり声がきこえて、ラッキーはほっとした。むこうの犬たちが、あわてて後ずさる。ストームが、ラッキーとベラのあいだに割りこんできた。前足を少し広げて立っているせいで、がっしりとたくましくみえる。頭を下げて肩を怒らせ、牙をむき出してうなる。

「あんたたちは、あたしと仲間を襲った！　トウィッチはわたさない！　絶対に！」

スプラッシュは、驚いて後ずさり、しっぽを脚のあいだにはさんだ。ストームはそれをみると自信がわいたのか、さっきよりも大きな声でつめよった。「勝手なまねをする犬にはうんざりなの！　トウィッチはあたしたちといっしょにいたいんだから、ほうっておいてよ！」

あの子は、スプラッシュとブレードを重ねあわせているのか――。トウィッチを力ずくで連れていかれると思っているんだ。ラッキーは暗い気分になった。ストームが、すべての犬をいい犬か悪い犬、仲間か敵かで分けているのだとしたら、困ったことだ。ものごとは、そんなに単純じゃない。スプラッシュは仲間でいてほしいと頼んでいるだけで、むりに連れていこうとはしていない。ラッキーは、やせておどおどした、むこうの犬たちを見まわした。いまはあわれっぽいようすをしているが、テラーがアルファだったときは、どう猛に戦っていた。挑発しないほうがいい。

スプラッシュは不安そうに口のまわりをなめ、両耳をぴたりと寝かせている。

ラッキーは身がまえた。むこうが襲ってきたら、ストームを守らなくては。

だが、ストームと黒い小さな犬のあいだに割って入ったのは、トウィッチだった。ストームに向きなおり、なだめるように軽くしっぽを振る。「ありがとう。おれを守ろうとしてくれたのはうれしいけど、スプラッシュのいうとおりなんだ」

ストームは、じっとトウィッチをみた。こわばっていた体から力をぬき、草の上にぺたんとすわる。だが、なにもいわない。

トウィッチは、ラッキーとベラのほうを振りかえり、そして、ストーム、マーサ、ムーンを順番にみた。「ごめんな。みんなを見捨てたくはないんだ。だけど、このことはずっと考えてきた。ここにいる犬たちは……」そういって、むこうの犬たちをちらっとみる。スプラッシュたちは、期待をこめてしっぽを振りはじめた。「……おれの仲間なんだ。スプラッシュがいったとおり、おれの居場所はあっちにあるんだ」

2 世界の果て

ムーンがトウィッチに駆けよった。長く黒い毛が風にあおられ、内側の白い毛があらわになる。「ほんとうに、そうしたいの？」すがるような声で鳴き、鼻先を押しつける。「その群れと過ごしたのは、〈月の犬〉が何度かめぐるあいだだけ。あなたの居場所はこっちよ」

「むかしはね」トウィッチはうなずいた。「だけど前足をケガしたときに、なにかが変わったんだ。みんながおれのことを、あわれみのこもった目でみてきた。それがほんとうにいやだった。それに、おれをみたアルファがなにをいったか、覚えてるだろ？　もういちど群れに迎えるつもりなんかないんだ」

ムーンはうなだれた。「お願いだから、いかないで……スプリングだって悲しむわ」

トウィッチはたじろいだ。きょうだいの名前をきいて、一瞬だまりこむ。「なんていったらいいのかな。子犬のころはすごく仲良しだったけど、だんだん考え方が変わってきたし……」

ラッキーは、こんなときにスプリングの話を出すなんて、ムーンは少しひどいんじゃないかと思った。だが、すぐに、ムーンがくぐりぬけてきたたくさんのことを思いだした。ぼくは〈野生の群れ〉に入ってまもないし、ベラも、マーサも、ストームもそうだ。ムーンは、残りの群れと合流するまで、むかしからの仲間にそばにいてほしいんだろう。だけど、トウィッチの気持ちはわかる――アルファのもとへいけば、命が危ない。

ラッキーは、頭を低くして口を開いた。「トウィッチ、むこうの群れにいるべきだと思う」

ムーンが両耳をぴくっと震わせ、裏切られたような顔をした。それでも、ラッキーは続けた。「アルファは、きみを群れに迎えいれたとしても、ひどい仕打ちをしてくるはずだ。そんな危険は冒してほしくない。きみにはもう、べつの仲間がいるんだから」

ムーンは食い下がった。「アルファにかけあってみましょう！　トウィッチを受け入れてもらえるように説得するの！」

ベラが鼻面にしわを寄せた。「こっちの話が通じたことなんてあった？」

そのとおりだ――アルファは、簡単に相手を許したりしない。ラッキーの体に、鋭い牙で、裏切り者の烙印を押そうとしたこともある。あのときのことを思いだすと、いまでも首の毛が逆立つ。

トウィッチはため息をついた。「ラッキーのいうとおりだ。よく覚えてるよ……みんなをみつけたときも、アルファは冷ややかだった。説得するなんてむりだ」スプラッシュに一歩近づく。「おれの心は決まってる。新しい群れのもとに残る」

「せめて、一度くらいアルファと話をさせて」ムーンが頼みこんだ。

「アルファだけが問題じゃない。おれが、あの群れにいたいんだ。役に立てる場所にいたい。こっちの群れにいれば、ただのお荷物になってしまう。川イタチはおいしかったけど、つかまえられたのは運のおかげだよ。食糧はとぼしいんだし、食べさせなきゃいけない口は少ないほうがいい」

ムーンは迷っていたが、やがて、納得したような顔になった。草の上にすわりこむ。「さみしくなるわ」

トウィッチはかがみこみ、ムーンの鼻をなめた。「おれもだよ」

ベラは、険しい顔でスプラッシュをにらんでいる。小さな黒い犬は、トウィッチが残ってくれると知って安心したようで、静かにしっぽを振っていた。ほかの犬たちは、うしろでおとなしくしている。

ベラが前に踏みだした。「わたしたちと行動するのは安全じゃないかもしれないけど、だからって、そっちの群れを選ぶ理由にはならないでしょ。その犬たちは、何日か前まで敵だったのよ」

スプラッシュが頭を下げた。「テラーにあおられて、目に入る犬にかたっぱしからけんかを売るしかなかった。だけど、テラーはもういない。これからは、ちゃんとした群れになる。おかしな犬の集まりなんかじゃなくて」

むこうの犬たちが、賛成するようにきゅうきゅう鳴く。スプラッシュは、続けるべきかたしかめるように、仲間を振りかえった。「ちゃんとした群れになるには、アルファが必要だ。だから、みんなで決めたんだ……トウィッチこそ、群れのアルファにふさわしい、って」

マーサとベラが顔をみあわせた。

トウィッチも驚いた顔になる。「おれにアルファはむりだよ」

「足が三本しかないのに！」ストームが声をあげ、ラッキーは顔をしかめた。自分も同じことを考えていたが、口に出していうことじゃない。

スプラッシュは、ちらっとフィアースドッグをみた。「アルファの見た目に決まりはない。トウィッチは、狩りも戦いもうまい。それに、テラーの前でだれよりも堂々としていた。賢くて、生きぬく術を知っている」群れのほかの犬たちも、賛成して、かん高い声で吠えた。

トウィッチは勢いよくしっぽを振った。長い耳をぱたぱたさせながら首を振り、口のはしから舌をのぞかせる。こんなにうれしそうなトウィッチを、ラッキーははじめてみた。

「それで、どう思う？」スプラッシュがたずねた。「おれでいいなら……」

トウィッチは、恥ずかしそうに頭を下げた。

そのとき、ムーンがぱっと立ちあがった。「待って！　話し合いで決めるなんて正しいやりかたじゃない。アルファの地位は戦って勝ちとるのよ！」

トウィッチとスプラッシュたちは、まじまじとムーンをみた。

「だけど、これはあたしたちの望みなの！」みすぼらしい赤毛の小さな雑種犬が叫んだ。

ムーンは雑種犬をみおろした。「望みは関係ないの。正当な戦いをしなくては。それが〈野生の犬〉たちのやり方よ」

スプラッシュは、そわそわと足を踏みかえている。「たしかに、そのとおりだ……」ふかぶかと息を吸い、鼻先をあげて胸を張った。「〈野生の群れ〉のトウィッチよ、アルファの地位をかけて、きみに戦いを挑みたい！」

トウィッチは、振っていたしっぽを止めて、姿勢を正した。ラッキーは、緊張してみまもっていた――ほんとうに戦うつもりだろうか。トウィッチが肩を怒らせ、牙をむく。

ストームは驚いて声をあげ、ラッキーのほうを向いた。「こんなのおかしい。けんかする理由なんてないのに。だれをアルファにしたいか決まってるのに！」

ラッキーは、どう答えればいいかわからなかった。トウィッチとスプラッシュは、にらみ合い、ゆっくりと円をえがいてまわっている。ほかの犬たちは遠巻きにみまもっていた。

ストームはあせり、ラッキーの足を前足でたたいた。「このままみてるの？　戦うために戦うなんて変でしょ！　仲間なのに！」

ラッキーは、顔をしかめていった。「トウィッチ、ストームのいうとおりだ。こんなのおかしいよ」

トウィッチは、返事もしないでスプラッシュをにらんでいる。スプラッシュは、その真正面でぴたりと止まった。水を打ったような静けさのなか、トウィッチが肩を低くして、とびかかる体勢を取る。

だしぬけに、スプラッシュが地面に倒れこみ、腹を出してあおむけに転がった。

トウィッチはうなずき、三本足で近づくと、スプラッシュの腹に前足をのせた。「降伏を受けいれよう」うしろに下がり、前足をなめる。

スプラッシュは立ちあがった。「感謝します、アルファ」

マーサは、離(はな)れたところからみまもっていたが、しっぽを振(ふ)りながら近づいてきた。「おみごとよ、トウィッチ」

すると、ほかの犬たちもいっせいにトウィッチを囲み、おじぎをしたり、かん高く吠(ほ)えたりしながら祝福をはじめた。

ラッキーは、少しのあいだ動けなかった。二匹(ひき)が争わずにすんだことがうれしくて、勝手にしっぽがゆれるが、それでも、よくわからない。アルファの座をめぐる争いは、もっと激しいのかと思っていた。オオカミ犬が自分からアルファの地位を明けわたす姿なんて、想像もできない。

トウィッチの新しい群れは、とても危険な集団にはみえなかった。ラッキーには理解できなくても、いまの儀式(ぎしき)はこの犬たちをよろこばせたらしい。しきりに、新しいアルファに鼻をすり寄せ、吠(ほ)えている。

ラッキーもお祝いの輪に加わった。「トウィッチ、幸運を」

トウィッチがうなずく。「そっちもな。スプリングにあやまっておいてくれ。またいつか、会えるといいな」

二匹(ひき)は鼻と鼻を触れあわせた。「もちろんだよ」

最後に別れを告げたのは、ムーンだった。「トウィッチ、あなたは忠実で強い犬よ。きっとすばらしいリーダーになるわ。〈精霊(せいれい)たち〉が、いつもあなたとともにありますように」そういうと、さびしそうにしっぽを垂らしたまま、うしろを向き、川辺に向かった。〈野生の犬〉たちはそのあとに続き、ふたたびアルファたちのにおいを探しはじめた。一番うしろを歩くラッキーの耳には、茂(しげ)みのむこうに消えたトウィッチたちのにぎやかな吠(ほ)え声がきこえていた。

ラッキーは川岸を歩きながら、足にまとわりつく泥(どろ)を払(はら)いおとした。列の先頭にいき、塩っぽい風に運ばれてくる〈野生の群れ〉のにおいをたどる。思わず顔をしかめる。どうしてこの風は変なにおいがするんだろう？　それに、においがだんだん強くなってくるみたいだ……。

うしろをちらっとみると、重い足を引きずるベラとムーンの姿と、そのすぐうしろをついてくるマーサとストームがみえた。一行がもくもくと進むあいだも、〈太陽の犬〉は川の上をのぼっていく。フィアリーは、猟犬(りょうけん)たちをまとめてくれた。だがもう、先頭を走ってくれる犬はいない。トウィッチまでいなくなった……。ラッキーはうなだれ、しっぽをだらりと垂らした。むこうの群れに留まったトウィッチの判断は正しい。だが、なんとなく見捨てられたような気がしてしまう。草むらや、遠くの谷間をながめる。世界が、想像もできないくらい広くて危険な場所にみえる。

　犬たちとちがって、川は休むことなく流れつづけ、しだいに勢いを増していた。ラッキーは身ぶるいしながら、水面に落ちた木の葉がくるっと回ったかと思うと、あっというまに白い渦（うず）に飲みこまれていくのをみていた。

　葉っぱに気を取られていたせいで、小石につまずいてしまった。小さく吠（ほ）え、前足をたしかめる。ケガはしていなかったが、ラッキーはふと首をかしげた。黄色がかった小さな白い粒（つぶ）が爪（つめ）のあいだにつまり、足の裏にもくっついている。顔をあげてまわりをみる。いつのまにか、あたりのようすが変わっていた。地面はより平らになり、岩や植物のあいだにも粒（つぶ）が積もっている。

　ベラがそばにきた。「砂だわ」

　ラッキーは爪（つめ）のあいだに入りこんだ粒（つぶ）を取ろうと苦労していた。「そうだけど……ふつう、川沿いに砂はないだろう？」

　ベラが地面を引っかくと、浅いみぞが付いた。「知らない――。ニンゲンに連れていってもらった公園には子犬用の遊び場があったけど、わたしが砂をみたのはそこだけ。ここは、こんなにたくさん……」

ラッキーは顔をしかめた。「それに、このにおい。どこに塩があるんだろう」においはうねりながら押しよせ、冷たい風が吹くと、ひときわ濃くなった。

さらに歩いていくと、地面の起伏はゆるやかになっていった。青々とした緑は姿を消し、みすぼらしい草が、むき出しの黄色い地面のあいだからつきだしているだけだ。遠くのほうに、低い木が二本だけ生えている。

みあげると、灰色がかった雲が、からみあいながらあつく垂れこめていた。

「鳥はどこ？」マーサがいった。

ラッキーも顔をしかめた。いわれてみれば、空が静かだ。いやな感じだった……さえずりがきこえないと、不気味に思えてくる。

「ムーン、あなたは生まれたときから〈野生の犬〉よね」ベラがいった。「こういう場所にきたことはある？」

牧羊犬は、毛並みのいい頭を振った。「いいえ、一度も」

かん高い奇妙な鳴き声が響きわたり、犬たちはぎょっとしてとびあがった。ラッキーは、耳をぴんと立ててうしろを振りかえった。

ストームが首の毛を逆立てて目をむき、牙をむき出す。「いまのなに？」

だれも答えない。体を低くし、すぐにでも駆けだそうとしている。

マーサが、黒い瞳をきらっとさせた。「怒ってる感じじゃなかったけれど……」

ラッキーも身を低くした。生き物が地面をけって走っているのだろうか。地面がかすかに震えている。「なにかはわからないけど、こっちに近づいてきてる」

そのとき、大きな茶色い生き物が、まばらに生えた草を踏みながら駆けてきた。マーサよりも大きく、足は骨ばっていて、胴は引きしまり、顔は細長い。毛足は短くてつやがあるが、長い首に生えた毛は風になびき、しっぽは風を切って勢いよくゆれている。生き物は、耳をぴくぴくさせながら川辺で足を止めた。開いた鼻の穴から、湯気の立つ鼻息を吹きだしている。こんなに寒いというのに、わき腹からも、汗が蒸気となって立ちのぼっていた。生き物は大きな頭を下げて、水を飲みはじめた。

つんとする毛のにおいが、風にのって運ばれてくる。ラッキーのおなかが鳴った。

「おいしそうなにおい」ベラが、ラッキーの考えを読みとったかのように、小さな声でいった。

ストームも、舌を出してうなずく。「つかまえられそうね」

まさか！　ラッキーはあきれて、心の中で叫んだ。あんなに大きな生き物、つかまえられるわけがない。

ムーンは、いぶかしそうな顔をした。「大きいシカみたいね。ふつうのシカだってなかなかつかまらないのよ。あの大きさをごらんなさい――とても手に負えないわ」

マーサが口のまわりをなめた。「でも、すごいごちそう。肉食動物じゃないみたいだし。あのにおいは……草よ。ウサギに似てるけど、もっと豊かなにおい。それに、耳もウサギっぽいわ。きっとおいしいわよ！」

ラッキーは、生き物の骨ばった足に目をやった。「たしかに、おいしそうなにおいだけど、力が強そうだ。けられたら、ひとたまりもない」犬たちは、生き物のがっしりした太ももや、がんじょうそうな足、石でできているような丸くごついひづめをみた。

「だいじょうぶ」ストームは、かん高い声で吠(ほ)えた。「こっちはすばやいし、数も多いもの」

マーサは、なだめるように子犬をなめた。「ラッキーのいうとおりよ。あのひづめは危険そうだわ。それに、こっちに走ってきたときの速さをみた？　わたしたちより、ずっとずっと速かった」

ストームは鼻を鳴らし、だまりこんだ。奇妙(きみょう)な生き物は水を飲みおえ、しなびた草を四角い歯で食(は)みはじめた。ふいに、ウサギのような耳をくるっと回し、大きな茶色い目で犬たちのほうをまっすぐにみた。つぎの瞬間(しゅんかん)、生き物はひと声鳴いてうしろ足で立ち、川沿いを下流に向かって走りはじめた。足がざらつく地面をけると、砂ぼこりが巻き起こる。あっというまに小さな丘のうしろに駆けこみ、みえなくなった。

「つかまえてやる！」ストームは前にとびだし、川べりを走りはじめた。

「待って！」ベラが厳しい声を出す。「マーサのいうとおり。むりよ」

だがストームは、聞く耳を持たず、丘のうしろに回りこんだ。

「ストーム！」ラッキーは吠え、あとを追った。腹立たしくて毛が逆立ち、くちびるが引きつる。どうして言うことをきけないんだ？　しょっちゅう勝手なまねをする。きつくかんで叱りつけてやらないと！　はやくつかまえて――。

丘を回りこんだ瞬間、ラッキーはあわてて立ちどまった。ストームが、すぐそこで立ちつくし、首をかしげていたのだ。大きな生き物ははるかむこうに遠ざかり、すでに点のようにしかみえない。ラッキーは、驚いて息をのみながら、あたりをみまわした――この場所は？

土はあとかたもなく消え、あたりは一面、砂地になっていた。黄色い砂地が、ゆるやかに波打ちながら広がっている。強い塩のにおいが鼻をつき、ラッキーはくしゃみをした。

ストームは足のあいだにしっぽをはさんでいる。「砂が……ずっとずっと先まで続いてる」

ラッキーはうなずいた。小さなフィアースドッグへの怒りは、どこかへ消えてしまっていた。

こんな場所はみたこともない。木も、野原も、花もない。世界の果てにきてしまったのかもしれない……〈森の犬〉の力がおよばないところに。〈大地の犬〉の気配もない。〈精霊たち〉は、ぼくたちを見捨ててしまったのだろうか。ラッキーは、うしろめたくなって、しっぽをわき腹に押しつけた。あれだけ助けてもらったのに〈精霊たち〉を疑うなんて、身勝手だ。

マーサとベラも丘のこちら側にやってきた。すぐあとから追いついてきたムーンが、遠くをみて吠える。「あっちをみて！」

ラッキーはまばたきをした。はじめは砂しかみえなかったが、やがて、なにかが動いているのに気づいた。青い、果てしなく広いなにかが、動いている。

マーサは、とまどったように黒いしっぽをゆらした。「川が……湖に流れこんでいるのね」

ムーンが一歩前に踏みだすと、黒と白の前足が、やわらかい地面に沈んだ。「ただの湖じゃない……こんな湖はみたこともないわ。どこまでも続いていて……」

ラッキーは、ムーンのいうとおりだと気づいて、ぞっとした。かがやく青い水の先にいくら目をこらしても、むこう岸がみえない。丘のふもとに目をやると、大きな波が荒々しく砂地に打ちよせている。波は、白く泡立ちながら引いていき、そのまままみえなくなった。

3 果てしない湖

犬たちは水ぎわに近づいていった。ラッキーはふしぎな塩のにおいがする〈果てしない湖〉を前にして、まだ頭が混乱していた。砂が足を飲みこみ、毛にまとわりつき、爪のあいだに入りこんでくる。水の上では、大きな白い鳥たちが、冷たい風に乗って円をえがきながら飛び、鋭い声で鳴いていた。白い波が盛りあがり、砕けては空の色にとけていく。

「いったい、どういう場所なの？」ムーンが心細そうにいった。黒と白の耳が不安げに震え、茶色い目は大きく見開かれている。

ラッキーは砂のにおいをかいだ。塩のにおいしかしない。ここは、世界の果て……〈精霊たち〉の力がおよばないところだ。ラッキーは、自分の不安はみんなに話さないことにした。むやみに怖がらせたくはない。ただでさえ、最近のムーンには、つらいできごとばかりが続いてきた。そこで、こう答えた。「ぼくにもわからない」うそではなかった。

〈果てしない湖〉は、みわたす限り広がっている。水面のさざ波をみていると、〈野生の犬〉と〈囚われの犬〉が出会った夜、いっしょに野営地を作った湖の岸辺が思いだされてきた。だが、こっちの波はもっと激しく、なにか目に見えない力によって大きくうねっている。波が砕けたり、とどろくような音を立てたりするたびに、ラッキーははっとなり、両耳を寝かせた。

水辺の砂はぬれて黒ずんでいて、乾いた黄色い丘よりも歩きにくい。ストームだけは、ぬれた砂の上をはねまわり、小さな丸い足跡を残している。

「ストーム、気をつけて。水から離れてるんだ」ラッキーは声をかけた。

つぎの瞬間、波が打ちよせてきて、ストームはとびすさった。しゅわしゅわ音を立てる白い波がストームの足をなで、砂をさらいながら引いていく。ストームは、乾いた砂の上にあわてて逃げた。前足をなめ、とたんに顔をしかめて、口の中に入っていた黄色い砂を吐きだす。砂の上の足跡は、ひとつ残らず消えていた。

マーサは水ぎわに歩いていき、〈果てしない湖〉をながめながら静かに立っていた。冷たい水が前足を洗っていっても、じっとしている。〈川の犬〉に呼びかけようとしているのかもしれない。だが、〈川の犬〉は、こんなにたくさんの水をどうやってまとめるのだろう。〈川の犬〉がここにいるのかどうかも、わからない……。

　ベラがぶるっと体をゆすった。「群れのみんなは、きっとこの近くにいるはずよ！」うれしそうにしっぽを振る。

　ムーンが両耳をぱっと立てた。「ほんとう？」

「もちろん！　こんなに水がたっぷりある場所を、素通りするわけないでしょ？」そういうと、頭を下げて水を飲む。とたんに、ひと声叫んでぱっと身を引いた。「ひどい味！　しょっぱくて飲めない！」

　ラッキーもとなりにいき、おそるおそる水のにおいをかいだ。ひげが逆立つ。ニンゲンの街の近くを流れる毒の川のようなにおいはしないが、塩のにおいが強くて、とても飲めそうにない。泡立つ白い波が引いていくのをみていると、ふと、砂地が凍りはじめているのに気づいた。霜でかがやくぬれた砂をみて、ラッキーはわれにかえった。一刻もはやく、あたたかい乾いた場所をみつけないと、寒さで具合が悪くなってしまう。

　ラッキーは仲間を振りかえった。「移動しよう」

「仲間のにおいがわからないわ」ムーンが鳴いた。「塩のにおいしかしない！」

　ラッキーは、思いきり息を吸いこんだ。ムーンのいうように、〈果てしない湖〉から吹いてくる風が、ほかのにおいをかき消している。もういちど、息を吸う――あった！　かすかだが、たしかに、オオカミ犬の強い獣のにおいがする。「こっちだ！」

仲間がいっせいに砂の丘をのぼりはじめる中、ラッキーは、べつのにおいにも気づいた。甘いにおいにひげがちくちくし、胸の中があたたかくなる。思わず、しっぽがゆれる。群れと合流できたらきっとうれしいだろう。友だちのミッキーや、〈囚われの犬〉たちの姿を思いうかべる。スナップやスプリング、ムーンの子どものソーンとビートル、二匹のきらきらした瞳のことを考えてみる。

だが、砂の丘をのぼりながら、ラッキーがだれよりもなつかしく思ったのは、スイートだった。うれしくて毛が逆立つ。

「湖から吹いてくる風って冷たいのね」ベラがこぼした。

ラッキーは、はっとわれにかえった。そのとおりだ。凍てつく風が〈果てしない湖〉から吹きつけ、毛のあいだにまでもぐりこんで、体を芯から冷やしている。一行は水辺にそって歩いていた。平らな砂地が続いている。左側では波がうねりながら打ちよせ、右側では、砂地がなだらかな丘になっている。

ふいにムーンが、しっぽをぴんと伸ばした。「あれはなに？」

ラッキーは目をこらした。金属の太い棒が一本、砂地からつきだし、そこに針金が何本もからみついている。元はなにに使うものだったのか見当もつかない。近くには、ニンゲンがすわるイスも転がっていた。砂まみれで、細い四本の足のうち、一本は折れている。「町みたいだ」ラッキーは、近づいてきた仲間にいった。砂丘の中腹では、ジドウシャまで、あおむけにひっくり返っていた。湖から流れこんできたらしい水が、ガラスの目の中にたまっている。体じゅうが、黄色く細かい砂でおおわれている。

ラッキーはとまどっていた。「近くにニンゲンのすみかがあるのかな。町かなにかが」ここにあるニンゲンの物は、どうやってこんな水辺までたどりついたのだろう。〈大地のうなり〉のゆれが、ここまで運んできたのだろうか。

さらに歩いていくと、思ったとおり、むこうに町のりんかくがみえてきた。手前には、ニンゲンの野営地のようなものがある。だが、ラッキーの知っているものとはちがう。この野営地は、木の歩道があって、一部は〈果てしない湖〉の上に張りだしている。歩道の両わきに並んだカラフルな建物はぼろぼろに壊れ、明るい空を背にして、不自然にかたむいている。

犬たちは、足を止めて見入った。

「くねくねのびてるのはなに？」ストームがいった。

野営地の奥のほうをみると、細長い金属のレールが、空中で曲がりくねりながら延びている。

レールには、森の小道のように、ぎざぎざのうねがついていた。

「あれ、ジェットコースターとかいう乗り物よ」マーサがいった。

ラッキーには、はじめてきく名前だった。目をこらすと、金属のレールの上には、屋根のない小型のジドウシャのような乗り物が、いくつもとまっている。「細長いジドウシャのことを思いだしたよ。街のあっちこっちを行き来していたんだ」ラッキーは、記憶をたどった。「専用の道を走っていて、ニンゲンたちは、そのジドウシャが止まると、乗りこんだり降りたりするんだ」

「きいたことないわ」ベラが、いぶかしそうな顔でいった。

マーサが首をかしげる。「あの乗り物はどこにもいかないのね……同じところを回るみたい」

「しかも、空中よ」ベラがいった。「高いところで鳥を狩るんじゃない？　大きい白い鳥が飛んでたの、みたでしょ？」

ラッキーは空をみあげた。そのとおりだ。大きな白い鳥が〈果てしない湖〉の上で飛びかっている。急におなかがすいてきた。だが鳥たちは、どんな犬でも届かないほど高いところを飛んでいる。地面におりてくることでもない限り、とてもつかまえられない。ストームも鳥をみあげて、舌を鳴らした。

ムーンが、いぶかしそうな顔でベラをみた。「わざわざそんなことを？　まあ、ニンゲンがすることなんて、無意味なことばかりだけど」

するとベラは、小ばかにしたように鼻を鳴らした。「それってどうなの？　自分には意味がわからないからって、意味がないってことにはならないわ。ニンゲンは狩りがうまいのよ。〈囚われの犬〉だったころは、自分で獲物を探したことなんてなかったもの。ニンゲンが空中でジドウシャに乗るなら、きっと、ちゃんとした理由があるのよ」

ムーンは返事をせずに、しっぽをこわばらせ、両耳を寝かせた。ラッキーは、ムーンの考えがはっきりとわかった――『〈囚われの犬〉は、いつまでたっても〈囚われの犬〉のままね』

ラッキーは、くたびれた犬たちがけんかをはじめませんように、と冷や冷やしながらみまもっていた。

のんびり屋のマーサは、険悪な空気には気づいてもいない。壊れた建物が並ぶ野営地をながめて、目をぱちくりさせている。そして、静かにいった。「群れのにおいがする」

ラッキーも、鼻をくんくんさせた――アルファたちのにおいは、だんだん強くなってきている。「いこう」しっぽを振りながら吠える。こうして犬たちは、変わった形の建物や遊具が集まるニンゲンの野営地をめざして歩きはじめた。空中でヘビのようにうねる〝ジェットコースター〟のレールは、冷たい風に吹かれて、ぎいぎい音を立てている。

「ほんとうに安全なの？」ムーンは、古びた小屋や、壊れかけた遊具をちらっとみた。

ムーンは、ずっと〈野生の犬〉として生きてきたんだ。ニンゲンや、ニンゲンの住む場所には、近づきたくないんだろう。ラッキーは考えた。アルファも同じ気持ちのはずだが、オオカミ犬のにおいは、たしかに野営地のほうからただよってきている。近くまできてみると、野営地が、細長い木の足に支えられているのがわかった。そこに、〈果てしない湖〉が激しく打ちよせ、渦を作り、水しぶきを立てている。

ムーンもそのようすをみつめながら、片方の前足をあげたまま、ぴたりと立ちどまった。

「ラッキー、まさか、ニンゲンの野営地に入るつもりじゃないわよね？　もう群れのにおいもしないわ。アルファは、そっちにはいっていないはず。ニンゲンや、ニンゲンのすみかには近づきたがらないもの。町からどんなに離れたがっていたか覚えているでしょう？」

ラッキーは鼻を下げ、足元の砂のにおいをかいだ。こびりついた塩のにおいがじゃまをしてくるが、たしかに、アルファのにおいはいきなりとだえてしまっていた。どういうことだろう。

もしかすると……。

ラッキーは顔をあげた。「アルファたちは、ここで湖から離れて風下に向かったんだ。だから、においがしなくなった」そういうと、〈果てしない湖〉に背を向けて、砂丘をのぼりはじめた。ムーンたちもあとを追ってくる。

思ったとおりだ。砂丘を越えると、冷たい風が丘にさえぎられるおかげで、アルファたちのにおいがはっきりとわかった。

「こっちだ！」ラッキーは、砂の上を走った。においを追いながら先を急ぐ。ムーンとベラが追いついてきて、弾む足でそばを走る。マーサの大きな足が地面をける音もする。ところが、ちらっとうしろを振りかえると、ストームがひとり、ずっとうしろで足を踏んばっていた。

「どうした？」砂地を駆けもどる。ほかの犬たちは足を止め、ちらちら目を合わせた。

小さなフィアースドッグは、首を振った。「なんでもない……」

「いいから、いってごらん！」ラッキーはかがみこみ、子犬の垂れた耳をなめた。「なにか、困ってるんだろう？」

子犬はため息をついてしゃがんだ。「だまっていようと思ったんだけど。あのね、川イタチが小さかったでしょ。食べたのはずっと前だし……」

ベラとマーサとムーンが、そっと近づいてきた。三匹とも心配そうだ。

「おなかが空いたのか？」ラッキーはたずねた。

ストームはぺたんと腹ばいになり、砂にあごをのせた。きまり悪そうな上目づかいになる。

「ごめんなさい」

「おなかが空いているのは、みんないっしょよ」ベラがいった。「ここは変わった場所だもの。砂の上を歩くのは疲れるし、風は冷たいし、隠れるところもないし」

ラッキーもうなずいた。空腹で気分が悪い。川イタチや、おいしそうなにおいの、長いしっぽとなめらかな毛皮の大きな生き物のことを思いかえす。

「大きな白い鳥ならたくさん飛んでるけど、水の上だもの」ムーンもいった。「つかまえるのはとてもむりよ。陸地におりてきたとしても、こっちの姿は丸見えだから、近づけば逃げられてしまう」

「じゃ、決まり」ベラがきっぱりといった。「ニンゲンの野営地を探しましょ――なにかみつかるかも」

ラッキーは、〈果てしない湖〉を振りかえった。湖は、低い砂丘に隠れているが、野営地のジェットコースターはみえている。「どうかな」なんとなく、いやな予感がする。危険じゃないだろうか。〈大地のうなり〉で、野営地がもろくなっているかもしれない。首筋がぞくっとする。木の歩道の板のすき間からみえた逆巻く水や、丸太のような足に打ちよせてしぶきをあげていた波を思いだす。ここからでも、激しい波の音がきこえる。

　ムーンが目を見開いた。「まさか！　群れに追いつかなくちゃいけないのに。水辺にもどったりしたら、においを完全に失ってしまうわ！　ノーズとスカームも待っているのに」ムーンは、子どもたちを、むかしの子犬の名前で呼んだ。ラッキーは、それに気づいて胸が痛くなった。二匹にはすでに正式な名前があって、母犬がいなくても生きていけるくらい大きいというのに。「わたしとフィアリーがそばについていないなんて、これが初めてよ」連れ合いの名を口にすると、声がしゃがれた。悲しみのせいか、疲れのせいか、体がひとまわり小さくなったようにみえる。

　ストームは、ムーンの話に納得したらしい。立ちあがり、体を振って砂を払う。

　ベラはいらだたしげに子犬に向きなおった。「あれで納得したの？　ムーンはアルファじゃないのよ」

　ラッキーは、きょうだいのとがった口調にうんざりした。ムーンは、フィアリーを亡くした悲しみから立ちなおっていない。それに、まわりにいるのは、あまり親しくない犬たちばかりだ。子どもたちがいる〈野生の群れ〉のもとに帰りたくてたまらないはずだ。それに、ストームには、挑発するような言い方をしないほうがいい。ラッキーは、フィアースドッグをみまもった。挑むような目でベラをにらんでいる。あの子は、必死で〝群れの犬〟になろうと努力してるところなんだ。かんしゃくの抑え方を学ばなきゃいけない。ベラも、ストームをむだに怒らせないように気をつけなきゃ。

マーサが、ストームを守るように一歩近づいた。ムーンとベラはにらみ合い、低いうなり声をあげている。

強く冷たい風が吹き、割れたガラスの破片のように砂が散った。立ちつくしたラッキーの毛にも、砂がまとわりついてくる。これまで、群れの階級制は好きになれなかった。だが、このときはじめて、決定を下してくれる犬がいればいいのに、と思った。りっぱなアルファがいればいいのに。心から信頼できる犬がいればいいのに。

行く手には、黄色い砂丘がどこまでも続いている。ラッキーは、空腹でめまいがした。こんなところじゃ、食べものなんかみつからない。両耳がうしろに倒れる。〈果てしない湖〉は、とどろくような音を立てながら、たえまなく波打っている。もどって、さびれたニンゲンの野営地に向かえば、食べ物にありつけるかもしれない。

だが、もしも〈野生の群れ〉のにおいを失ってしまったら、二度とみつからないだろう。

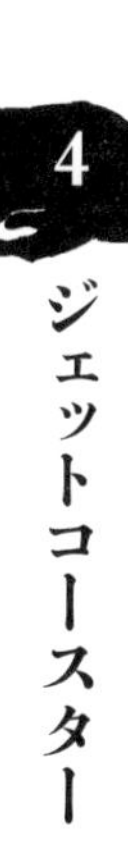

4 ジェットコースター

ムーンとベラは、低いうなり声をあげながら、砂の上でにらみ合っていた。ストームは、しっぽをわき腹に押しつけている。ラッキーは、どうすればいいかわからなかった。

とうとう前に踏みだしたのは、ふだんはおだやかなマーサだった。

「ストームは正しいわ。わたしたち、みんなおなかが空いてる。空腹だし寒いし、けんかになるのもしかたがないのよ」

ラッキーはうなずいた。みんながいらいらしているのは、追いつめられているせいだ。

「なにかおなかに入れれば、気分もよくなるはず」マーサは続けた。「ニンゲンの野営地には食べ物があるかもしれない。群れのにおいは、失わないように気をつけていればだいじょうぶ。みんながどれくらい先にいるのかもわからないんだし――暗くなるまでずっと歩いても、追いつかないかもしれない。そしたら、いまより寒くなって、疲れて、おなかもぺこぺこになるでしょう？」

ムーンは表情をやわらげ、軽く鼻を鳴らした。敬意をこめて、頭を低くする。「あなたのいうとおりね。仲間のにおいに気をつけて、あんまり時間をかけないなら、食べ物を探しにいってもかまわないわ」

ストームはうれしそうにしっぽを振り、舌を出してはあはあ息をした。

ラッキーは立ちあがった。「じゃあ、いこう。ニンゲンの野営地を調べてみよう――だけど、〈太陽の犬〉が空のてっぺんにきても収穫がなかったら、あきらめて先へ進もう」

犬たちはうなずいた。

ラッキーは首をかしげて考えこんだ。もしかすると、群れにはアルファなんていなくていいんじゃないか――。マーサは、自分の意見を押しつけたりしなかった。だが、低く落ちついた声には自然な威厳があった。

ストームはすでに、弾むような足で〈果てしない湖〉のほうに向かっている。しっぽが元気よく風を切っている。マーサがあとを追って駆けていき、ほかの犬たちも、二匹が残した足跡をたどっていった。

砂丘のてっぺんを乗りこえると、黄色い砂ぼこりをあげながら、すべるように丘をくだっていった。

ジェットコースターや遊具や建物が並ぶ野営地は、波打ちぎわの手前から〈果てしない湖〉の上に張りだしていた。はしから湖をみおろすことができる。木の歩道は、数え切れないほどたくさんの板をつなげて作られていた。入り口には色とりどりのアーチがある。アーチは、ガラスの球でぐるりとふち取られている。こはく色の光が点滅しているものもあれば、光が消えかかっているものもある。いくつかは、割れて光が消えていた。犬たちはアーチをくぐると、あたりをみまわして身がまえた。

ラッキーが思ったとおり、野営地に生き物の気配はない。〈大地のうなり〉が、ここからもニンゲンたちを追いはらったにちがいない。ニンゲンがいたしるしは、あちこちに残っている。イスやゴミ箱が、点々と散らばっている。一番奥では、ジェットコースターのレールが、空中で大きくうねっている。

マーサが小さく鳴いたのに気づいて、ラッキーは肩をなめてやった。〈囚われの犬〉でなくとも、ここまで荒れはてた場所をみるとつらくなる。なんてさびしいところなんだろう――。ここにも、街と同じように大勢のニンゲンがいたにちがいない。みんな、どこにいってしまったんだろう？　ラッキーは耳を振って、その疑問を頭から追いやった。

ニンゲンがいらないものを捨てていくゴミ箱に歩いていく。街にいたころは、こういう箱の中からよく食べ物をみつけた。うしろ足で立って箱の中にかがみこみ、暗闇のにおいをかぐ。だが、食べられそうなものはないらしい。ネズミがさらっていったのかもしれない。ラッキーは、念のために、鼻先を底のほうへつっこんでみた。一瞬、静かな闇に包まれた。そのとき、消えかけていた記憶が、心のすみによみがえってきた。子犬のころの記憶の中で、ラッキーは、なぜか、穴の中から出られなくなっている。空気がどんどん薄くなる。ラッキーは怖くなり、急いで箱から頭を引きぬいた。

ほかの犬たちは、木の歩道を慎重に進んでいる。両わきには、木造の小さな建物が並んでいた。なにに使われる建物なのかはわからない。街にあったようなショクドウともちがうらしい。ラッキーは、ニンゲンたちが必要な物を取ってくる建物を思いだした。そこは大きくて、何階建てにもなっている。ニンゲンたちはそこで、体にまとうやわらかい布や、いろんなものを探してきて、すみかに持ちかえってくるのだ。ここに並んでいるのは、そうした建物とも家ともちがっていた。小さく、入り口がぽっかり開いていて、すり切れた布でかざられている。むかしは、布にも色がついていたのかもしれない。いまでは色あせ、砂まみれだ。

ストームが、ある小屋の前で立ちどまった。壁に入ったひびをみつけ、そこから中をのぞきこむ。「みて！」

　ラッキーはそっとうしろから近づき、子犬の視線をたどった。黄色いアヒルが何羽か、奥の台の上で一列にとまっている。ほんものの鳥ではない――つやつやしたかたい物体でできている。ラッキーは、なんのためだろう、と首をひねった。ふと、うなり声がもれた。壁に、ひもで吊られた銃がかかっている。ニンゲンは、この銃でにせもののアヒルを撃つのだろうか。食べられないのに、いったい、なんのために？

　ニンゲンがあたりにいなくても、ラッキーは、銃のそばから早く立ちさりたかった。ストームの耳をなめ、先へ進むようにうながす。「ほんもののアヒルじゃないよ」

「ほんものだったらよかったのに」ストームはこぼした。

　ラッキーはなぐさめた。「もうすぐ、なにかみつかるよ」だが内心では、食べ物なんかあるんだろうか、と不安になりかけていた。ここへきたのは、まちがいだったのかもしれない……。

　二匹は、ずっと前を進んでいるベラのあとを追った。先を急ぐストームをよそに、ラッキーは、ふと足を止めた。目のはしにちらっと、足の下で逆巻く波が映ったのだ。足元の板と板のあいだをのぞいてみる。はるか下にある水面がみえて、心臓がどきっとした。もし、板のひとつがはずれでもしたら大変だ。

追いついてみると、ベラは、小さな小屋のまわりを調べていた。四方の壁は大きくくりぬいてあり、正面の低い壁には棚がひとつ付いている。ラッキーの頭くらいの高さのところだ。中には、ガラクタのようなものが小山になっていた。ベラが、もっとよくみようと、棚にとびのった。

そのしっぽがゆれはじめる。「おもちゃだわ！」

マーサが急いで駆けよる。大きなマーサは、棚のむこうを楽にのぞくことができた。

「フリスビーに、フラフープに、ボール！」ベラが吠える。

「動物みたいな形のおもちゃもあるわね」マーサもいう。

ラッキーはうしろ足で立ち、前足を棚にかけた。小屋の天井からは、ほこりっぽい青いボールがいくつも吊りさがり、ところどころに、銀の輪っかや、にせもののリスもまざっている。

ベラが、小屋の床にとびおりた。横向きに転がった、ふわふわした大きなおもちゃに鼻を寄せる。森の怪物〝ジャイアントファー〟に似ているが、こっちのほうは、ちっとも怖くない。ふわふわした足にとがったかぎ爪はついていないし、牙もなく、口は楽しげにほほえんでいるような形だ。

ベラは、前足で、ジャイアントファーのおもちゃをたたいた。「小さいニンゲンはこういうのが好きなのよね。夜はいっしょに眠ってたわ」

ラッキーは、きょうだいがおもちゃのにおいをかいだり、頭をこすりつけたりするのをみまもっていた。マーサも、うれしそうに息を弾ませている。くーんとひと声鳴きながら、がっしりした黒い前足を片方、勢いよく棚にかけた。ラッキーは、出会ったころの〈囚われの犬〉たちのようすを思いだして、いやな予感がした。あのころ、ベラたちの望みは、ニンゲンをみつけることだけだった。〈囚われの犬〉の暮らしを覚えておくために、ニンゲンとの思い出の品をどうしてもはなさず、荷物になるのもかまわずに、くわえて荒野にまで持っていった。置いていくよう説得するのはひと苦労だった――ミッキーだけは、〈野生の群れ〉と暮らすようになってからも、なかなかグローブを手ばなさなかった。ラッキーは、ミッキーがむかしの家の玄関でグローブと別れたときのことを思いだして、切ない気分になった。

ここにあるおもちゃをみて、ベラとマーサはニンゲンを恋しがったりしないだろうか。

ベラは顔をあげ、マーサと目を合わせた。「どうして、これがこんなところにあるの?」

マーサは首をかしげた。「どうしてかしら……ニンゲンたちは、ここで必要なものを調達していたんじゃない?」

「ガラクタばっかり」ベラは鼻先でおもちゃを押しやった。「夜は仲間といっしょに眠りたい。

こんなにせもの、いらない」

　ラッキーは、ほっとした。きょうだいがそんなふうに考えていたことが、うれしかった。ベラも、ほかの〈囚われの犬〉たちも、街で出会ったころから、ずいぶん遠くまで旅をしてきたのだ。砂丘のほうを振りかえり、においをかぐ。群れのにおいは、冷たい風にかき消されていた。はやくもどって、どこかで風をよけ、においを探さなくては。

「急ごう」ラッキーは声をかけた。「食べ物をみつけて、こんな変な場所からは出ていこう」そういうと、先へ進もうと歩きだした。ところが、マーサが軽くうなった。両耳をぴくぴくさせ、くるっとうしろを向く。

　また、思い出の品を持っていくつもりだろうか？　だがマーサは、おもちゃには目もくれていない。足元の板に視線をはわせている。

「いま、魚のはねる音がしたわ！」

　ムーンとストームがその声をききつけ、おもちゃの小屋に近づいてきた。

　首を伸ばして耳をすましたが、ラッキーには〈果てしない湖〉の激しい波音しかきこえない。足の下で波が砕けていると思うと、いやな気分になる。「なにもきこえないけど」

「わたしも」ベラがいう。

「いいえ、きこえたわ」マーサはつぶやくようにいって、鼻先を床にぐっと近づけた。そして、自分にだけわかる手がかりをたどりながら、歩きはじめた。

ラッキーとベラは、ちらっと目を合わせた。だがムーンは、すぐにマーサのあとに続いた。目を見開いて仲間を振りかえる。「〈川の犬〉がマーサに語りかけているのよ。敬意を払って、どこに導いてくれるのかみまもっていましょう」

ベラはうなずき、あとに続いた。ストームもその横に並ぶ。ラッキーはみんなのあとを追いながら、ふしぎに思っていた。ムーンはどうして、フィアリーを亡くしてから、前よりも〈精霊たち〉を信頼するようになったのだろう。連れ合いを守ってもらえなかったのに――。たくましい戦士だったフィアリーは、ニンゲンの毒のせいで、変わりはてた姿になった。テラーたちと戦ったときは、生まれたばかりの子犬のように弱々しかった。

マーサは先頭に立って歩き、小屋をふたつ通りすぎた。ラッキーは少し不安になってきた。〝ジェットコースター〟には、あまり近づかないほうがいいような気がする――危険そうだ。ラッキーは金属のレールにちらちら目をやった。小さな乗り物のひとつが、ぐるりと円をえがいたレールのてっぺんから、逆さにぶら下がっていて、いまにも落ちてきそうだ。そのとき、マーサが石の建物の前で足を止めたので、ラッキーはほっとした。

その建物は、木の小屋より大きかった。壁にクモの巣のような細いひびが入っている。マーサは、腹が地面につきそうになるくらい体を低くして、建物のわきをそっと進んでいった。ラッキーは、ひび割れた壁をみまわした。なにかが変だ――そうだ、窓がない。窓のない建物は、めったにない。ニンゲンたちは、窓から外の世界を見張るのが好きなのだ。

マーサは壁沿いに進み、大きなドアの前で足を止めた。となりを歩いていたラッキーは、ドアがぼろぼろになり、ほんの少しかたむいているのに気づいた。その瞬間、ぱしゃん、という水がはねる音がきこえた。ぞくっとして、毛が逆立つ。マーサは、ドアのふちに前足をかけ、引っぱりはじめた。簡単には開かないとわかると、前足を上下に動かしながら、思いきり力をこめる。きゃん、と鳴きながら力まかせに引くと、ドアは勢いよく開いた。そのとたん、ドアのむこうから水がほとばしってきて、犬たちの前足に押しよせてきた。魚のにおいがむっと立ちこめ、息がつまりそうになる。

建物から流れだしてくる水の中で、たくさんの魚がぴちぴちはねている。ムーンはとびだし、両方の前足で、長いオレンジ色の尾びれを押さえつけた。マーサも、一匹すくいあげて口に押しこむ。ラッキーとベラとストームは、二匹のそばをすりぬけて、石の建物の中に入った。

ラッキーはあっけにとられた。色とりどりの魚が、腹がつかるくらいの高さの水の中で、勢いよく泳ぎまわっているのだ。水は開いたドアから外へと流れだし、かたい床の上には、残された魚たちが散らばっている。すでに死んで、横向きのまま流されていき、床の上でぐったりしている魚もいた。生きている魚たちは必死で暴れている。犬たちは獲物をしとめにかかった。

「すごい！」ストームがきゃんきゃん吠える。「夢みたい！」

ベラは、太った青と白の魚に目をつけ、舌を垂らした。「ほんと！」

ラッキーは、ざっと部屋の中をみまわした。壁沿いに水槽がいくつも並び、中ではたくさんの魚が泳いでいる。いくつかは割れていた。ラッキーは、ベラとストームを振りかえった。

「水槽が、〈大地のうなり〉で割れたんだと思う。水といっしょに流れだした魚が部屋の中に閉じこめられていて、マーサがドアを壊したときに、一気にとびだしてきたんだ」

ストームは、魚の尾びれをかんでいる。「でもニンゲンがごはんをくれないのに、どうやって生きのびたの？」

ベラが顔をあげた。「仲間を食べてたのかも。小さい魚から先にねらわれて。魚はそういう生き物なの」

ストームは、気味が悪そうに顔をしかめた。「自分の仲間を食べちゃうの？」

マーサとムーンも建物の中に入ってきて、仲間たちといっしょに、暴れる魚をしとめていった。ラッキーは、青と黄色の魚を牙でつかまえ、上を向いて口の中に落とした。汁気の多い魚の身をかむと、塩気のある甘い味が、ゆっくりとのどを伝っていく。

「〈川の犬〉よ、感謝します！」ムーンが吠えた。

犬たちは、大よろこびで魚にとびかかり、やわらかいごちそうをつぎつぎと飲みこんでいった。とうとう、食べられる魚は一匹もいなくなった。〈精霊たち〉は、自分たちを見捨てたりしていなかったのだ。ラッキーは、うしろめたくなって、しっぽを震わせた。

みんなが、床に落ちた魚のかけらをなめとっているあいだ、ラッキーはひそかに胸の中で〈川の犬〉に祈りをささげた。

寛大な〈川の犬〉よ、すばらしい食事をさずけてくださって、心から感謝いたします――。

魚をおなかいっぱい食べた犬たちは、ふたたび、木の歩道を歩きはじめた。少しずつ、群れに近づいていく。

5 町の中へ

犬たちは、爪（つめ）の音をかちかち立てながら、木の歩道を歩いていった。満足そうな小声で話したり、口のまわりをなめたりしている。ラッキーは、足の下からきこえてくる激しい波音に少しずつ慣れていった。気にはなるが、もう怖（こわ）くない。

ストームがとなりではねている。「すっごくおいしかったね」

ラッキーはうなずいた。「ほんとうに」

「きてよかった。でしょ？」

「そうだね」ちらっとベラをみると、『だからいったでしょ！』とでもいいたそうな得意げな顔をしている。少なくとも、口に出すことはしない。ムーンは、なにも気にしていないらしい。

肩（かた）ごしに振（ふ）りかえり、ジェットコースターと、その先の〈果てしない湖〉をながめている。

入り口のアーチまでもどると、ラッキーは頭を下げて、足元の板と板のあいだをのぞいた。

水は消え、砂地がみえている。ここへきたとき、湖はアーチの下から続いて、ちらちらかがやいていたはずだ。板のあいだをのぞきながら後ずさっていくと、しばらくしてようやく、白く泡立つ波がみえてきた。〈果てしない湖〉が、岸辺から沖のほうへと後ずさっていったかのようだ。ラッキーは、ぶるっと首を振った。まさか、そんなことがあるわけない。

ストームはアーチの下にすわり、耳をかいた。「もどって群れを探しにいくの？」

「そうだけど……」ラッキーは、すぐそばの町に目を向けた。かたむいた建物をみると、むかし住んでいた街を思いだす。「砂の上を歩いてもどるより、ニンゲンたちが捨てていった町をぬけたほうが早いかもしれない」

「それに、歩きやすいわ」ベラがいった。「砂の上を歩くのって、いらいらするもの」

「でも、もどるっていってたじゃない」ストームがいった。

マーサも、大きな黒い頭をたてに振る。「ええ、そのはずだったわよね。それに、べつの道をいったりしたら、群れのにおいがわからなくなるかもしれない」

ムーンがそばに寄ってきた。〈野生の犬〉の通った砂地をたどるべきだ、というつもりだろうか。ところが、ムーンの意見はちがっていた。「町を通りましょう」

マーサが、あごの下のたるんだ毛皮をゆらして大きく首を横に振る。「てっきり、砂地にもどりたがってるのかと思ったわ。アルファは町を避けるはずだっていってたじゃない」

ラッキーはいやな予感がした。さっきまで仲良くやっていたのに。こんなに冷たい風が吹きすさぶ場所で、言い合いなんかしたくない。

ムーンはマーサをまっすぐに見返した。青い目がきらっと光る。「アルファは、砂地を通ってニンゲンの町を避けたはずよ――これはまちがいないわ。ニンゲンがいない場所を選んで遠回りして、また水辺にもどってくるはず。だから、町をぬければそれだけ早く追いつける。それに、砂の上より早く歩けるわ」だまってストームのほうをみる。ストームは板にあごをのせ、少しのあいだ目を閉じていた。強い子犬だが、さすがに疲れているらしい。ムーンは、ふたたびマーサに向きなおった。「この野営地にはニンゲンなんていなかったでしょう？　町もきっとおなじよ。怖がることはないわ」

マーサはうなずいた。「ラッキー、あなたが決めて」

湖を吹いてきた風が、ラッキーの毛をゆらした。風が一段と冷たくなったような気がする。〈太陽の犬〉は空の高い位置にまでのぼっているが、湖から流されてきた雲が、あたたかな光をおおい隠していた。ラッキーは体を振り、ムーンに教えてもらった方法で体をあたためようとした。どちらにいくのが正しいのかはわからないが、早くこの旅を終わらせてしまいたい。

ニンゲンのすみかをぬけるルートのほうが早いはずだ。道路がひび割れ、いたんでいるとしても、ムーンのいうとおり、砂の丘を歩くよりは楽だろう。ここよりは風もよけられる。

ラッキーは、マーサと目を合わせた。「町をいこう」

「道の真ん中を歩くんだよ」ラッキーは、むかし住んでいた街の建物が崩れかけていたことを思いだして、みんなに声をかけた。この町はあそこほど荒れていないが、用心しておくのが一番だ。

この町の建物は低く、大きな建物とはちがって、崩れたところからちりが舞いちったりもしていない。それでも、ひび割れた道や、砕けたガラスは、〈大地のうなり〉に襲われた証拠だ。ちりが少ないかわりに、どこもかしこも砂にまみれている。通りも建物も砂におおわれているので、家々はまるで、地面からせりあがった黄色い岩のようにみえる。通り沿いに並ぶ石のノロックのそばには塩水がたまり、がれきが沈んでいた。

水草が引っかかった建物もある。

どうしてあんなところに？

ラッキーはぶるっと身ぶるいした。ここにある砂も水も、もとは〈果てしない湖〉にあったものだ。湖が〈大地のうなり〉に激しくゆれ、水があふれて陸地まで押しよせてきたんだろうか？　首すじの毛がぞわっと逆立ち、ラッキーは反射的にうしろを振りかえった。〈果てしない湖〉はニンゲンの建物に隠れてみえないが、たえまなくとどろく波の音や、波が砕けて引いていくときの、シューっという音はきこえる。

「あれって、ニンゲンが足をおおうのに使うやつよね」ベラがあごでしゃくったほうをみると、通りの真ん中に、薄汚れたなにかが落ちていた。子ウサギくらいの大きさで、砂の上にぽつんと転がっている。

ストームは、ふしぎそうに首をかしげた。「ニンゲンって、足をおおうの？」

「ここ、好きじゃないわ」ムーンは、腰を低く下げて、心細そうな声を出した。

ベラがなじるような目を向ける。「自分で選んだくせに」

「弱音くらい吐かせてちょうだい」ムーンは鋭く言いかえした。「あなたたちは、こういうおかしな場所で育ったんだから、慣れているでしょうけど」

「できるだけ急いで通りぬければいいわ」マーサが取りなすようにいうと、ベラは黙った。

ラッキーは、心の中で感謝した。生まれつきがまん強いマーサは、腹を立てることがない。さっきも、町をぬけようという決定を、静かに受けいれた。おまけに、魚もみつけてくれた。

マーサの存在はありがたかった。

いきなり、警戒しているような鋭い吠え声がして、ラッキーははっとした。ストームだ。足をこわばらせ、しっぽをまっすぐに伸ばし、両耳を立てている。「もどらなきゃ！　早く！」

ベラがため息をつく。「いいかげんにして！　わたしたちは町をぬけていくの。この話はおしまい」

ムーンがベラをにらんだ。「この子がおびえているのが、わからないの？」そういって、ストームに向きなおる。「だいじょうぶよ、心配しないで。すぐに出ていけるから。でも、いまもどったりしたら、時間がむだになるでしょう？」

ストームは返事をしない。張りつめたようすで、一歩、前に出る。褐色の鼻先をあげ、また吠えた。「ここは危険なの！　敵がいる！」

なにかがおかしい。ストームは、むやみにおびえて吠えたりする犬じゃない。ラッキーはストームのとなりにいき、頭を低くして慎重に空気のにおいをかいだ。塩のにおいがじゃまをする。だが、そのとき……心臓がどきっとして、足が震えた。まさか……そんなわけはない。群れが新しい野営地を探して旅をはじめたのは、この犬たちから逃げるためだったのに……。

「やつらがここに？」ラッキーは小声でたずねた。

「その子、怖がってるだけよ。なんでも敵にみえるんでしょ」ベラが不満そうに口をはさんだ。

ストームは、目を大きく見開いて、いった。「ファングのにおい。ほかのフィアースドッグたちもいる」

とたんにベラは口を閉じ、ひげを震わせた。マーサが守るようにストームのそばに寄りそう。

ムーンがあたりのにおいをかいだ。「においはわからないけど、あの犬たちがここにいるなら、すぐに離れましょう――せっかくストームがみつけた危険に、わざわざとびこんでいくこともないわ」

マーサが、子犬の耳を軽くなめる。「この子をブレードに近づけちゃだめ」

ムーンは白目がのぞくほど目を見開き、不安そうにしっぽを震わせている。「たった四頭でフィアースドッグの群れからこの子を守るなんて、むりよ」

ストームは、肩でマーサを押しのけた。「ひとりでだいじょうぶ」通りをにらみながら、首の毛を逆立てる。「やっぱり、引きかえすなんていや。逃げてばっかりはうんざり」

「気持ちはわかるわ」ベラがいった。

ムーンは、驚いてベラをみた。「まさか、フィアースドッグの群れと戦うつもりじゃないでしょうね。そんなことしたら、ひとたまりもないわよ！」

「そうじゃないけど……においをたどるくらい、かまわないでしょ」

ラッキーは首をかしげた。ベラはどういうつもりだろう？

ベラは仲間に近づき、声を殺して続けた。「フィアースドッグたちは、旅の途中でこのあたりを通りすぎただけかもしれない。でもわたしは、あの犬たちは町に住んでると思うの。〈囚われの犬〉に似てるから――ニンゲンのすみかに引きよせられて当然よ。たとえ、もぬけの殻になっているにしても」

ラッキーはうなずいた。たしかに、そうかもしれない。

「においをたどりましょ」ベラは続けた。「どこが野営地なのか、なにをしてるのか、できるだけ調べるの」

犬たちはだまりこみ、ラッキーも考えこんだ。フィアースドッグのあとをつけるなんて……むちゃだ。

「そんなに心配そうな顔しないでよ」ベラが鼻を押しつけてきた。「あの犬たちと戦おうっていうわけじゃないのよ。少し近づいて、なにをたくらんでるのか調べるだけ」

「あとをつけなくちゃ」ストームもわきからいった。「あたしのためだけじゃない――群れのみんなを守らなくちゃ。ブレードの計画を知るチャンスなのに、いま逃げたりしたらアルファが怒るでしょ？」

ラッキーは静かな通りをにらんでいるストームをみながら、ため息をついた。この子のいっていることも、まちがってはいない。「ちゃんと隠れているんだぞ」

マーサはうなずいたが、ムーンは耳を震わせ、険しい顔をしていた。

「気は進まないわ。このあたりは不気味だし、フィアースドッグにも近づきたくない。でも、ビートルとソーンが恐ろしい敵と戦わずにすむなら、わたしはできるかぎりのことをしたい。だから――あとをつけましょう」

ムーンは、子どもたちをおとなの名前で呼んでいた。いいしるしだ。連れ合いを失った悲しみを、少しずつ受けいれはじめている。「ムーン、いまでも残念に思ってるよ。フィアリーを助けられなかったこと」ラッキーは、小さな声でいった。

ムーンは、静かにうなずいた。「せいいっぱいのことをしてくれたわ。感謝してるのよ」

マーサが鼻をなめると、ムーンは感謝をこめて顔をすりよせた。

ラッキーとストームが先頭をいき、ベラとムーンがそのあとに続いて、マーサが列のうしろを守る。すぐに、湖のにおいにまじって、フィアースドッグのにおいがただよってきた。

ベラは、においをかぎながら通りのはしを歩いていたが、道ばたに転がっていたジドウシャに鼻を近づけて顔をくもらせた。「マーキングしてあるわ」

ラッキーも、横向きに倒れた金属の箱のにおいをかぎ、きょうだいを振りかえった。「こっちもだ。ベラのいったとおりかもしれない——なわばりのまわりに、マーキングをしてある。すぐ近くに野営地があるんだと思う」

いきなり、強い風のむこうから、低い吠え声がきこえてきた。

「パトロール犬だ！」ラッキーは小声でいうと、横にはねて、砂の小山と水草をとびこえた。そして、しめったロープと、くさった魚のにおいがする網の小山のうしろに隠れた。フィアースドッグが近づいてくると、仲間の体から恐怖のにおいがただよいはじめた。敵の犬たちが、このにおいをかぎつけてしまうかもしれない。

ラッキーは目をつぶった。〈森の犬〉よ、ここは木々から遠く離れています……だけど、とうか、身を守る術を教えてください。そう祈ったとたん、以前、ミッキーに教わった方法を思いだした。あのときミッキーは、森の土の上を転げまわり、体のにおいを隠した。砂を使えば、同じことができるかもしれない。

ラッキーは、ぱっと目を開けた。「ぼくのまねをするんだ！」説明をしている時間はない。地面を転げまわると、体じゅうが砂と水草でべたついてくる。ムーンとマーサとベラは、とまどった顔でまねをしている。ストームだけが、ラッキーの考えを理解しているようだった。もしかすると、森の中でコヨーテたちから隠れたあの夜のことを、覚えているのだろうか。ラッキーはふしぎに思った。生まれたばかりで、目もちゃんと開いていなかったのに。

ラッキーは、みんなが十分に転げまわると、しめったロープのうしろで配置につかせた。ベラが体についた砂をなめ取ろうとしたので、鋭くにらんでやめさせる。犬たちは、塩のにおいのする砂の上で体をちぢめた。やがて、二匹のフィアースドッグが角を曲がって近づいてきた。

運がよければ、気づかないはずだ——。

息を殺してじっと待つ。すると、フィアースドッグたちは、えらそうな歩き方でロープの前を通りすぎていった。ラッキーは思いきって顔をあげ、二匹のようすをたしかめた。口をかたく閉じ、黒と褐色の毛の下では筋肉が波打っている。視線は、まっすぐ前にすえられている。二匹は、なにかに気づいたようすもみせず、そのまま遠ざかっていった。

ベラは体を起こし、ぶるっと体を振った。「ヤップ、すごいアイデアね」

ラッキーは、子犬のころのように、前足で軽くきょうだいに触れた。「ミッキーに教わったんだ。さあ、いこう」そういうと、フィアースドッグたちとは反対方向に急いだ。どうか、自分たちが遠くへいくまで、あの二匹がもどってきませんように。

ラッキーたちは、フィアースドッグがなわばりのまわりに残したにおいを、慎重にたどっていった。崩れかけた建物のあいだを走り、オレンジ色に変色したジドウシャの陰で息を整える。敵のにおいは、だんだん強くなっていった。恐怖で背筋が寒くなる――ブレードたちの野営地は、すぐそこだ。

〈果てしない湖〉の上に、雲が集まりはじめている。その下を大きな白い鳥がすべるように飛び、ときどき、荒れた町の上にさっとおりてくる。一羽が、鋭い鳴き声とともに、犬たちのはうに急降下してきた。ストームは鳥をつかまえようととびあがったが、ふいに怖くなったのか、小さく悲鳴をあげた。

やがて一行は、一軒の大きな建物にたどりついた。正面には広い階段があり、壁には、ニゲンの大きな写真がたくさん貼られている。むかしはドアがあったのかもしれないが、〈大地のうなり〉で取れてしまったらしい。ぽっかりと開いた入り口から、フィアースドッグのにおいがただよいだしている。きつい土のようなにおいは、ブレードのものだ。ここには、ガラスののぞき穴がひとつもない。そのことに気づいて、ラッキーは胃がしめつけられるような気分になった。きっと、中は真っ暗にちがいない。壁に身をよせ、仲間に声をかける。

「ここはちゃんと調べたい。だけど、全員でブレードのすみかに入っていくのは危険だ。みんなは、ジドウシャの陰に隠れていてくれ。すぐにもどるから」

「あたしもいっていい?」ストームが、抑えた声でたずねた。

ラッキーは、子犬の鼻をなめた。「やめておいたほうがいい」

「危ないからだめよ」マーサが、鼻先でストームを押しもどした。

ストームはおとなしくうなずき、マーサについて、死んだジドウシャのうしろに回りこんだ。

ムーンが二匹に続く。

「気をつけてね」最後まで残っていたベラは、そういうと、ラッキーの鼻をなめて、仲間のあとを追った。

ラッキーは、石段をのぼって建物に入った。中には、真っ赤なやわらかい布が敷きつめられている。両はしにひとつずつ、まったく同じ造りの階段があり、どちらも二階に続いていた。

二階には、ドアがいくつも並び、それぞれが赤い布でおおわれている。ラッキーは、忍び足で階段のひとつをのぼると、かたむいて壊れかけていたドアをみつけ、前足を使って開けた。ドアのむこうは、がらんとした真っ暗な空間だ。

暗がりに目が慣れるまで、少し時間がかかった。想像していたよりも、ずっと広い。天井は細かい金色のかざりでおおわれ、羽根の生えたニンゲンの子どもの絵が、くすんだ白色でえがかれている。床には、赤い布にくるまれたイスが、ずらっと並んでいた。イスは整然と並び、正面の一段高くなったステージのほうを向いていた。よくみると、イスのいくつかは、ずたずたに裂かれている。布のすみのところに歯形がついていたり、黄色いわたがはみでていたりしている。そのとき、ラッキーはどきっとした。ステージの上でなにかが動き、一瞬、とがった耳のりんかくがみえたのだ。

ブレードだ。ぼろきれで作った寝床に寝そべっている。ぼろきれは、建物の中から集めてきたらしい。床の赤い布や、イスの中から引きずりだした黄色いわたが、いくえにも重なっている。ステージの両はしには、番犬が一匹ずつひかえていた。がっしりした大きな姿が、はっきりとみえる。

ベラのいったとおりだ。フィアースドッグは、この建物に野営地を作ったのだ。かえってよかったのかもしれない——アルファたちの群れには追いつけなかったということだ。ラッキーが、その大きな部屋から出ようとしたとき、いきなり、吠え声がきこえた。ぱっと振りかえる。心臓がどきどきいいはじめる。吠え声は、外からきこえてくる。

階段を駆けおり、建物をとびだす。すると、ストームとマーサが、三匹のフィアースドッグとにらみ合っている姿がみえた。敵の二匹はマーサと同じくらい大きいが、もう一匹は子犬といってもいいくらい小柄だ。臆するようすもみせずにストームとマーサに向かってうなり、ぎざぎざの耳を平らに寝かせて、牙をむき出している。ガラスの破片のように鋭い牙が、ぎりぎりと歯ぎしりをしている。

ラッキーは、息が止まりそうになった。その子犬のことは、よく知っている……ストームのきょうだい、グラントだ。

いまでは、ファングと呼ばれている、あの子犬だ。

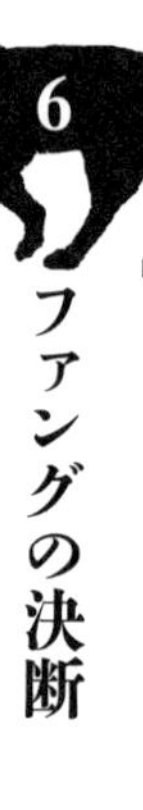

6 ファングの決断

「マーサ、ベラ、みんな逃げて！」ストームは吠えた。「ここはあたしにまかせて！」

ラッキーは、入り口の石段の上で凍りついていた。がっしりしたメスのフィアースドッグが、牙からよだれをしたたらせながら、ラッキーのほうを向いてうなりはじめる。ファングともう一匹が、ストームのほうに一歩近づく。

ラッキーは身がまえた。いくらストームが強くても、フィアースドッグを三匹も相手にできるわけがない。しかも、そのうちの一匹はきょうだいだ。後悔が襲ってくる。フィアースドッグのあとを追うなんて、やっぱり失敗だった。ストームがにおいに気づいたときに、さっさと町を出ていけばよかった。

「あなたを置いていったりしないわ！」マーサがうなり、ストームのすぐそばに立った。

「もちろんよ」ベラが吠え、ムーンといっしょに、ジドウシャのうしろから現れた。頭を低くし、首の毛を逆立てている。

ファングは、がっしりした頭をのけぞらせ、かん高い声で激しく吠えた。すぐにブレードたちが駆けつけてくるだろう。ラッキーは、むこうの群れの数を考えただけで、ぞっとした。勝ち目はない。

〈森の犬〉よ、知恵をさずけてください――フィアースドッグを出しぬくにはどうすればいいのでしょう？

答えがひらめいた。〈孤独の犬〉のラッキーなら、切りぬけ方を知っている。〈群れの犬〉となったラッキーに必要なのは、独りで生きていたころの賢さだ。

ラッキーは、気を引きしめると、こちらを向いてうなっている敵に吠えた。「おい、そこのネズミ！　何様のつもりだ？」

ストームをにらんでいたフィアースドッグが、さっと振りむく。「うすぎたない雑種め、いまなんといった？」

「何様のつもりだ、といったんだ」

「なんだと？」

「つかまえろ！」ファングが吠えた。

三匹のフィアースドッグが、いっせいに向かってくる。ラッキーは、すかさず石段をとびおり、砂におおわれた通りを全速力で走りはじめた。さっき隠れていたロープと網の小山を目指す。砂に足をすべらせて塀にぶつかりそうになったが、なんとか持ち直し、スピードをあげてべつの通りに折れた。

ラッキーはそこまでくると、わざと足を止め、フィアースドッグたちが角を曲がってくるのを待った。追いかけてきた三匹は、ウサギ狩り一回分離れたところで足を止め、憎しみのこもった黒い目を光らせた。メスのフィアースドッグが吠える。「動くな、雑種め！　つかまえて、その両耳をかみちぎってやる！」

ラッキーは鼻をあげ、精一杯、落ちついて見えるようにふるまった。だが、息は乱れ、わき腹は波打っている。

「ぼくをつかまえる？」小ばかにした声を出す。「ケガしたリスだってつかまえられないくせに！」

「なまいきな野良犬め！　後悔させてやる！」メス犬がふたたび駆けだすと、もう一匹のフィアースドッグも並んで走りはじめた。ラッキーはくるっとうしろを向き、通りを一気に駆けぬけた。ロープと網の小山にたどり着くと、直前で、いきなり横に飛んだ。背後では、ロープにつっこみ足をとられたフィアースドッグたちが、もがいて吠えている。

顔をあげると、ムーンと、マーサと、ストームが通りのはしで待っているのがみえた。

ベラがうれしそうに息を弾ませる。「おみごとね」

ラッキーは、思いきってフィアースドッグたちを振りかえった。もつれた網を振りほどこうと、足をばたつかせている。ぬけだすのは時間の問題だ。

仲間のもとにもどろうとしたとき、ふと、足が止まった。すぐそこの砂の地面に、影がひとつ落ちている。

ファングだ。幼いフィアースドッグが、ラッキーの行く手に立ちはだかっている。「また、せこいインチキか？　ちっとも変わらないんだな、街の犬！」そう吠えるなり、わき腹にかみつこうとしてきた。ラッキーは身をかわしながら、急いで頭を働かせた。ファングは、あとの二匹にくらべれば小さいが、それでも十分に危険だ。あの二匹も、すぐに助けにくるだろう。早く逃げたほうがいい。

ラッキーはファングにとびかかり、力いっぱいうしろにつきとばして、しめった水草の小山に転がした。立ちあがろうとするファングを置いて、通りのはしにいる仲間のもとへ走る。

「逃げろ！」ラッキーは吠え、ストーム、マーサ、ベラ、ムーンを連れて、細い横道に駆けこんだ。

ファングが追いかけてくる。仲間の二匹を呼ぶ声と、それに応える吠え声がきこえた。

「追いかけてくるわ！」ムーンは、おびえてパニックになっている。〈野生の犬〉たちは、足をすべらせながら砂におおわれた通りを走り、がれきや水草の小山をとびこえていった。

このままじゃ逃げきれない——ラッキーは考えた。隠れるんだ。そうだ、あそこにいこう。

だが、まずはファングを振りきらなくてはいけない。

「ジェットコースターの場所へ！」ラッキーは仲間に叫んだ。

町をとびだすと、明かりがちかちか灯るアーチの下をくぐって、湖の上につきだしたニンゲンの野営地へ逃げこむ。マーサが先頭になり、小さな建物の前をいくつも駆けていく。ふいに、ぴしっという音が響いて、がっしりした前足が歩道の板を踏みぬいた。マーサがあわててとびすさりながら前足を引いたその瞬間、板が割れ、はるか下の湖までまっすぐに落ちていった。ざぶん、と白いしぶきを立てながら、水に沈んでいく。

板があったあとには、ぽっかりと穴が開いていた。ラッキーは、追いつめられて左右をみた。どこに逃げればいい？

ファングがアーチにたどり着き、ぎりぎりと歯ぎしりをしながら、がっしりした体に力をこめた。ストームが、きょうだいに向きなおって吠える。「なんの用？」

「わかってるくせに！」ファングが答える。「いっしょに群れにもどれ。賢くなれよ——おまえはそんな雑種たちとはちがうだろ！」

ラッキーは二匹のやりとりをみまもっていた。緊張のあまり、自分の心臓の音がきこえる。いまのところ数ではこちらが勝っているが、いまにファングの仲間が駆けつけてくる。すでに、激しい吠え声がきこえている。そう遠くない——もう、余裕がない。

「早くこいよ。なんで迷ってるんだ？」ファングはまっすぐに立ち、牙をむき出している。だが、ラッキーは気づいた。この子犬は、ストームを攻撃するつもりはないらしい。とうとうファングは頼みこむような口調になった。「自分の意志でもどってきたほうがいいんだ。逆らったりしたら、ブレードはきっとおまえを許さない」

ストームは、まっすぐにきょうだいの目をみた。「仲間に少しでも触れたら、あたしこそあんたを許さないから。マーサやラッキーたちにケガさせたら、あんたたちの顔の毛皮を引きはがして、目玉を水鳥のエサにしてやる。死体は〈大地の犬〉にあずけたりしない——道ばたに転がしておく。勝手にくされればいいわ。ファング、この言葉をちゃんと覚えておいて。あたしには、フィアースドッグが一匹残らず倒れるまで戦う覚悟があるんだから——命をかけて」

ラッキーはぞくっとした。ストームの話しぶりは頼もしかったが、容赦ない脅し文句は、きいているだけで恐ろしくなる。この子は本気だ。

ファングは口を開いたが、声が出てこなかった。肩ごしにうしろをたしかめ、きょうだいに向きなおる。フィアースドッグたちの荒々しい吠え声はすぐそこまで迫り、そこへかぶせるようにブレードの指令がきこえた。

「あの子犬を探せ。わたしのもとに連れてこい——黄色い犬の毛皮といっしょにな！」

ラッキーは悲鳴を押しころし、じりじりしながらファングの決断を待った。

とうとう、幼いフィアースドッグは決意したようだった。ほかの犬たちには目もくれずきょうだいに近づく。「隠れろ！　あの二匹はおれがなんとかする。だけど、おまえのことをあきらめたわけじゃないからな。おまえにはほんとうの家族がいるんだ」

ストームは、表情をやわらげ、頭を軽く下げた。「ありがとう」

二匹のフィアースドッグが、どんどん迫っている。「こっちだ！」ラッキーは吠えた。数歩後ずさると、はるか下にある湖のことは考えないようにしながら、助走をつけて、道に開いた穴をとびこえた。ムーンとベラは軽々とジャンプし、あとに続いたマーサは、鈍い音を立てて木の歩道に着地した。ストームは仲間にくらべれば足が短い。だが、ためらわずにとんだ。うしろ足が穴のふちを踏みはずしそうになり、着地の衝撃で前に転びそうになったが、すぐに体勢を立てなおし、仲間のあとを追って走りはじめる。ラッキーは、〈精霊たち〉に感謝した。もっと力の弱い犬たちがいっしょにいたら、どうなっていただろう。サンシャインやホワインには、あの穴はとびこえられない。

ラッキーたちは、遊具やカラフルな建物をいくつか通りすぎていき、目当ての一軒にたどりついた。「ここに隠れろ！」ひと声吠えて、建物から張り出した低い棚にとびのる。中には、銀色の輪っかやボールがいっぱいにつまっている。ムーンとベラとストームは、やすやすとあとに続いたが、マーサだけは、少し手間取った。うしろ足を棚のふちにかけたまま、前足を不器用に床におろす。ところが、バランスを崩し、やわらかいおもちゃの小山の中に、どすんと転がった。犬たちはつぎつぎにおもちゃの下にもぐりこみ、身を隠した。ラッキーは息をつめ、耳をすました。

「雑種どもはどこへいった？」ブレードの声がはっきりときこえる――入り口のアーチまでたどり着いたにちがいない。

「ここにはいません」ファングが返事をしている。「砂地を走って川のほうにいくのがみえました」

ブレードが激しく吠えた。「川だと？　おろか者め、なぜ追いかけなかった？」

ファングが悲鳴をあげる。ラッキーは、びくっと体をすくめた。ブレードに強くかまれたにちがいない。

「ごめんなさい、ブレード！」幼いフィアースドッグが、きゅうきゅう鳴く。

「あやまってすむと思うのか？」ブレードがうなった。

フィアースドッグたちが、いっせいに吠えたてる。群れが集合しているらしい。ラッキーは、どう猛な犬たちがファングを押さえつけているのではないかと、気が気ではなかった。ファングは、自分の意志で、いまの暮らしを選んだ。それでもラッキーは、小さな犬がかわいそうでたまらなかった。

「追いつけなかったんです。二度と逃がしたりしません」ファングは、すがるように鳴いた。

「それが身のためだな」べつの犬がうなった。あの声は、二番手のメースだ。

ストームはラッキーに体を押しつけ、消え入りそうな声で鳴いている。

「ファングなら、きっとだいじょうぶだ」ラッキーはささやき声でなぐさめたが、あまり自信がなかった。

「いくぞ」ブレードの声がした。「時間のむだだ。こんな役立たずの子犬は、雑種どものもとに置いてくるべきだった。今夜は食べ物をやるな。腹がへれば少しは闘志もわくだろう」フィアースドッグたちが、賛成してつぎつぎに吠えた。その声が、しだいに遠ざかっていく。町にもどっていったのだ。

　ラッキーは、ほっと息をついた。今回は逃げおおせた。だが、ブレードたちが、これであきらめるはずがない――フィアースドッグの執念深さは、よく知っている。

7 砂地の旅

ラッキーたちは、ぴくりとも動かずに待った。フィアースドッグたちの吠え声が、風の音にまぎれていく。きこえるのは、体の下で逆巻く〈果てしない湖〉のごう音くらいだ。

ベラは、ウサギの形をしたおもちゃの下から顔をあげ、荒い息をついた。「危なかったわね。でも、重要なことがわかったわ」

「しかも、ひとつじゃない」ラッキーもうなずいた。「フィアースドッグが、どこに野営地を作ったのかわかったし、どこをパトロールしているのかもわかった」ストームをみると、立ちあがって、なめらかな茶色い体をぶるっと振っている。「それに、ファングが大事にしているのはきょうだいで、ブレードじゃないみたいだ。あの子には、家族への愛情が残ってるんだ」

ストームは、首をかしげてうれしそうに息を弾ませ、しっぽを軽く振った。

ムーンがうしろ足で首をかき、まっすぐにすわり直す。「やっぱり、こんなところ、くるんじゃなかったわ」

ラッキーはため息をついた。「できるだけフィアースドッグから離れよう。もういちど、〈野生の群れ〉のにおいを探さなきゃ」仲間が口々に賛成する。ムーンは、さっそく建物から張り出した棚にとびのり、木の歩道におりた。

ストームが空をみあげ、けげんそうな顔をする。

ラッキーは子犬の耳をなめた。「どうした？」

「もう暗くなりかけてる。〈太陽の犬〉が空のてっぺんにいたのって、ちょっと前じゃなかった？　どうして今日はこんなに急いでるの？」

ラッキーは驚いた。季節があることを知らないのだろうか。ストームは、おとなの犬も顔負けなほど勇ましくたくましいが、まだ、ほんの子犬なのだ。季節のうつりかわりを体験したことがないのだから、日が少しずつ短くなっていることを知らないのは当然だった。

「空気が冷たくなってくると、〈太陽の犬〉は、外に長居するのをきらうんだ」ラッキーは説明した。「あたたかいところで休むようになるから、空で過ごす時間が短くなる。いまは〈氷の風〉と呼ばれる季節だよ。寒さがゆるんで、草木が花をつけはじめると、〈太陽の犬〉はほがらかになってくる。この季節が〈新たな緑〉。それが過ぎると、〈太陽の犬〉は、もっと長いあいだ空にいるようになる。昼がとても暑くなって、いつまでも終わらないような気がしてくる――これが〈永い光〉と呼ばれる季節だよ」

ストームは、目を丸くした。「〈永い光〉のつぎは？」

ラッキーは、子犬の鼻をなめて答えた。「〈永い光〉のあとは、〈紅い葉〉の季節。しばらくすると、木々の葉が落ちていき、日は短くなり、空気が冷たくなる。こうしてまた、〈氷の風〉の季節がやってくるんだ」

犬たちは、町を避けながら砂の丘をのぼりはじめた。吹きつける風の下で体を低くしていると、ふたたび〈野生の群れ〉のにおいがみつかった。

「今度は砂地から離れてはだめ」ムーンがいった。「歩くのは大変だけど、フィアースドッグたちもここまでは追ってこないわ。それに、群れのにおいをたどれるもの」

反対する者はいなかった。丘をよじのぼり、すべり落ちないように、かたまって生えている長い草を足がかりにする。ラッキーは、丘のふもとを肩ごしに振りかえった。片方には町が広がり、もう片方には川が流れ、そして真うしろでは、ジェットコースターや遊具のある野営地が、〈果てしない湖〉の上に張りだしている。

〈野生の群れ〉のにおいは、はっきりとわかった。一匹一匹のにおいをかぎ分けることもできる。アルファ、スプリング、スイート……うれしくて体がぞくぞくする。だが、砂の上は歩きにくく、あたりはどんどん暗くなっている。もっと楽な道がないだろうか。ラッキーは、じりじり進みながら、砂の斜面（しゃめん）をみまわした。ふと、白い岩がいくつか、砂の上につきだしているのが目に入った。しっぽを振（ふ）りながら、そちらへ急ぐ。すると、密集した丸い岩のあいだに、砂地にかかる橋のような平たい岩がみえた。

「こっちだ！」ラッキーは仲間を呼んだ。砂地にくらべれば、岩の上のほうが歩きやすい。だが、でこぼこした岩肌を歩いていると、じきに足の裏が痛くなってきた。ほかの犬たちも、荒（あら）い息をつきながらのぼっている。なかでもストームは苦労していた。ときおりはねながら駆（か）けあがらないと、仲間におくれを取ってしまう。集中してかたい表情をしているが、決して泣き言はこぼさない。

岩を最初にのぼりきったのは、ラッキーとベラだった。ムーンとマーサがあとに続きストームが一番最後に追いつく。犬たちは、息を整えながら、町を振（ふ）りかえった。こうしてみると、とても小さい――ラッキーや、ベラや、マーサが住んでいた、大きな街とは似ても似つかない。

ラッキーは、町の通りに目をこらした。「真っ暗だ」

「〈太陽の犬〉が眠（ねむ）ろうとしてるからでしょ」ストームがいった。

ベラがいった。「そうだけど、町の中は暗くならないのがふつうなのよ。まあ、〈大地のうなり〉が起こる前まではね」

小さなフィアースドッグは首をかしげ、ベラから目をはなして、うしろの町をながめた。

「〈太陽の犬〉は、町の中でずっと起きてるの？」

ベラは前足をなめた。「眠(ねむ)るけど、町はいつも明るいの。ニンゲンが小さな火をともしておくから」

こちらを振(ふ)りむいたムーンが、牙(きば)をむいた。「なんて危ないことするの」

マーサが、ニンゲンをかばうように説明した。「すごく安全な火よ。ほんものの火じゃなくて、きらきらした光の球なの」

「でも、なんのために？」ストームがたずねる。

ベラが、耳をぴくっとさせて答える。「ニンゲンは、暗闇(くらやみ)がきらいなんじゃない？」

ラッキーは仲間のやり取りに耳をかたむけながら、岩が湖の上に張りだしていることに目をとめた。ここは崖(がけ)になっているらしい。

岩と岩のあいだをぬうようにして斜面(しゃめん)をのぼりきったラッキーは、息をのんだ。水平線に沈(しず)もうとしている〈太陽の犬〉が、こはく色のしっぽで水面をなでて、ゆったりとうねる無数の波を、銀色に染めている。ラッキーは、ちらちらとかがやく湖をながめた。こちら側の岸は、平らな砂の川辺から続いて町のそばを通り、どこまでものびている。だが、むこう岸は……。

ベラが追いついてきて、ラッキーのとなりに並ぶ。「うそみたい」その声をききつけたほかの犬たちも斜面(しゃめん)をのぼってきた。ふしぎな景色を前にして言葉を失っている。

ラッキーは、ゆっくりとうなずいた。銀色の三角波が立つ湖が、目にみえるかぎり、果てしなく続いている。はるか先では、空からおりてきた〈太陽の犬〉が、水に沈(しず)んでいこうとしている。

……むこう岸は、ないのだ。

「ほんとに、〝果て〟がないのね」ストームがため息をついた。

マーサが、あえぎながらいった。「それに、動いてるわ」

「動いてる？」ベラがいぶかしそうに問いかえした。

「さっき岸辺にいたときは、水は町のはずれまできていたし、木の歩道の下にも打ちよせていたでしょう？　でも、いまはみて」

ラッキーは目をこらし、はっとした。たしかに、波はずっとむこうに引いて、あとには、しめった黒い砂地が残っている。

ムーンが身ぶるいして、町をみおろした。「なんだかぶきみだけど、これでフィアースドッグから十分に離れられたわ。もういちど水辺にもどりましょう。群れのにおいがするの。思ったとおりよ——川辺をたどってきたところまでは同じ道をたどっていたけど、むこうのみんなは町を避けて砂の丘をこえて、町から十分離れたところで、また水辺にもどったのよ」

ラッキーは、感心してムーンをみた。空気のにおいをかいでみる。〈野生の群れ〉のにおいが、崖の下からただよってくる。このあたりの水辺を歩いていたらしい。

ラッキーたちは、町を横目にみながら、砂まじりの岩の斜面を慎重におりて先へ進んだ。しばらくして振りかえると、町に並ぶ壊れた家々は、ぎざぎざしたりんかくしかみえなかった。暗い路地にひそむフィアースドッグたちは、もうずっとむこうだ。

ラッキーとベラは、〈野生の群れ〉のにおいが強くなってくるにつれて、弾むような足取りになった。ムーンも、すべりやすい砂の丘をおりながら、しっぽを振っている。「ビートルとソーンのにおいがするわ！　こっちよ！」

犬たちは、先頭を切るムーンのあとを追ってジグザグに歩きながら、〈果てしない湖〉の水辺に向かった。ふと、ラッキーは足を止めた。マーサとムーンが追いぬいていく。あたりは、急に暗くなっていた。〈太陽の犬〉のこはく色の毛皮は湖に溶け、いまでは、水面をくすぐる銀色のほおひげだけがみえている。マーサが気づいたとおり、波はいま、砂地の奥のほうに打ちよせていた。それでも、傾斜になった岸に波が打ちよせる音や、波が引いていくシューッという音はきこえつづけている。水は決して眠らないのだ。

ラッキーは、自分も、水と同じくらいたくましかったらいいのに、と思った。足は疲れてずきずき痛み、まぶたはいまにも閉じそうだ。ストームはだいじょうぶだろうか。

「もう暗い」ラッキーは、波音に負けないように声をはりあげた。「今夜は追いつけないよ」

「いいえ、だいじょうぶ」ムーンが吠えた。しっぽを振りながら、ごつごつした岩に向かう。

「あと少しよ！」岩を回りこんで、砂地のにおいをかいでいる。ほかの犬たちはあとを追った。

犬たちは、最後の力を振りしぼって、広い砂地に岩がいくつもつきだしている場所にたどりついた。渚はかすかにしかみえない。空の高いところからみおろしている〈月の犬〉は、ほとんど完ぺきな丸だった。だが、砂を照らす光は弱々しい。

「ラッキーのいうとおりよ」ベラが吠えた。「寝床をみつけて、明るくなるまで休みましょ。それから、また群れを探せばいいわ」ぬれた砂地を歩いていくと、少し先にも、白く平らな岩があった。「ここ、洞くつになってるみたい。この中なら、乾いてるし、あたたかいんじゃない？」

ムーンは砂地をながめ、しっぽを力なく垂れた。「たしかに、知らない土地を歩きつづけるには暗すぎるわね。夜が明けたら、すぐに旅を続けましょう」そういうと、ベラについて洞くつに向かった。

　マーサとラッキーもあとに続いたが、ストームだけは黒い目で前をにらんだまま、動こうとしない。

「ほんとに入るの？」心細そうな声だ。「なにか隠れてるかも。外のほうが安全じゃない？　茂みの下に寝床がみつかるかもしれないし」

　ベラがいらだたしそうに振りかえった。「赤んぼうみたいなこといわないで！　みんな、体が冷えてるし、くたくたなのよ。ここじゃ凍えちゃうでしょ。少しは外で生きる方法を学んでちょうだい」

「ほらほら！」マーサがうなった。うすれかけた光の中に、大きな黒い体のりんかくが浮かびあがり、動く岩のようにみえる。「ストームのいうことは正しいわ。なにがいるかわからない。危険かもしれない。ジャイアントファーは、洞くつに住んでいるんじゃなかった？」

　ラッキーは息をのんだ。あの凶暴な獣には、以前、森の中でアルファといっしょにストームたちのあとをつけていたとき、出くわしたことがある。ほんとうに、ジャイアントファーは洞くつに住んでいるのだろうか。顔をしかめて、ぽっかりと開いた洞くつの入り口に近づく。あの獣が、こんなに森から離れた場所にいるとは思えない。

ストームは、風に吹かれて震えながら、マーサのわき腹にぴったりと体を押しつけていた。ラッキーは二匹の横を通り、洞くつの中の空気をおそるおそるかいでみた。中はあまり広くない。ニンゲンの野営地に並んでいたカラフルな建物と同じくらいの大きさだ。地面はざらざらしている。また、砂だ。ラッキーはうんざりした。木切れや葉っぱのような、温かそうなものを期待していた。

洞くつの中を慎重にみてまわる。片側の地面は盛り上がり、奥にあるでこぼこした岩場に続いていた。岩場に近づいてみると、〈果てしない湖〉の水にぬれた石が、いくつも転がっていた。塩と水草のにおいで、鼻がひりひりする。

ラッキーは洞くつの外に出た。入り口に集まった犬たちが、言い合いをしている。

「ジャイアントファーのなにを知ってるのよ」ベラがいった。「〈囚われの犬〉だったくせに。街にはジャイアントファーなんかいなかったわよ」

マーサが言い返した。「そっちだって〈囚われの犬〉だったでしょう？　なにも知らないのは同じじゃないの。でもストームは、ジャイアントファーをみたのよ」

「だから？　だからって、この子がジャイアントファーのすべてを知ってることにはならないじゃない！」ベラは、前足で砂地をたたいた。「洞くつには敵なんかいないってば」

「中は安全だよ」ラッキーが、横から声をかけた。これでみんなもだまるだろう。「そんなに居心地はよくないけど、だれもいないし、乾いてるし、風もよけられる」

「ほら、いったじゃない！」ベラはぴしゃりというと、くるっとうしろを向いて、真っ先に洞くつに入っていった。残りの犬たちも、だまってあとに続く。ベラとムーンは、それぞれ離れたすみにおさまった。マーサとストームは、ひとつのすみで体を寄せあっている。

　ラッキーは一番奥へいき、地面から盛りあがった岩の上にのぼった。頭を岩に寝かせる。〈果てしない湖〉からは十分に遠ざかっているが、たえまない波の音をきいていると、そわそわした。両方の前足で耳をふさぎ、音をしめだそうとする。すると、仲間が鼻をくんくんいわせる音や、いびきの音もきこえなくなった。そういえば〈グレイト・ハウル〉をしていない。思いだしたときにはもう遅かった。いっしょに遠吠えをすれば、さみしさが少しはやわらいだかもしれないのに……。

　目を閉じたときだった。ふいにベラが近づいてきて、となりに寝そべった。緊張が解けていく。少しすると、ムーンもそばにきて、もう片方のわきに体をすり寄せた。マーサとストームも静かに近づいてくる。犬たちは一か所に集まり、体を寄せあった。仲間の心地よいぬくもりが伝わってくる。〈大地のうなり〉が起こったあと、はじめて夜を過ごしたときのことを思いだす。あの夜、ラッキーとスイートは、茂み（しげ）の下で身を寄せあって眠（ねむ）った。目を覚ますと、世界のすべてが変わっていた。

✷

容赦（ようしゃ）なく吹（ふ）きつけてくる風の中で、ラッキーは体を低くして震えていた。〈月の犬〉は姿を消し、ぽつぽつと散らばった星だけが頼（たよ）りなく光っている。暗闇（くらやみ）に目をこらす。目が慣れてくると、自分が、黒っぽく細長い岩の上にいるのがわかった。小さな岩の島で、まわりを水に囲まれている。おそるおそる水辺に近づき、はっと足を止めた。水が動いていない——水じゃない。氷だ。顔を近づけてみると、氷の表面には、クモの巣のような白い線が走っている。暗い空は、嵐（あらし）でもきそうなほど、どんよりとくもっていた。首を伸ばして、なおも目をこらすと、丸いこはく色の光が、ぼんやりとみえた。〈太陽の犬〉がのぼろうとしているのだろうか。それとも、べつのなにかだろうか。

前に踏（ふ）みだして、氷に片方の前足をのせる。とたんに、火でも触ってしまったかのように、鋭（するど）い痛みが走った。ひと声叫（さけ）び、さっと前足を引く。前足をなめながら、遠くをみる。こはく色の光は、消えてはいないが遠ざかったようだ。なぜかはわからなかったが、その光を追いかけなくてはいけない気がした。だが、あんなに遠くまで、氷の上を走っていけるとは思えない。黒い岩の上で後ずさりして、どうすればいいか考えた。自分はひとりきりで、島に囚われている——じきに、〈氷の風〉の季節がくる。

シュッという音がして、ぱっと振りかえった。みると、島のまわりが凍りはじめている。氷に変わった岩は、かがやく白いガラスのようだった。ラッキーは息をのんだ。あせって左右をみる。島を取りかこむ氷が、じわじわとラッキーに迫っている。白く冷たい舌でシュウシュウ音を立てながら岩をなめ、ぶきみな毛皮でおおっていく。

ラッキーは叫んだ。「ベラ！　スイート！」

返事はない。

氷はとうとう足元にまで迫り、パキパキ音を立てはじめた。恐怖にかたまってみていると、足が凍り、焼けるような痛みが走った。毛が霜のように白くなり、ぽろぽろ崩れていく。動きたくても、凍った足は動かない。もう一度叫ぼうとしたが、寒さで口が開かない。

はるか遠くで、こはく色の光がまたたき、そして消えた。あとには、冷たい闇が残った。やがて、闇のどこかから、おびえた犬たちの遠吠えがきこえてきた。

✶

ラッキーは、ぱっと目を開けた。少しかかってようやく、ここが、〈果てしない湖〉のそばにある洞くつだと思いだした。波が岸に打ちよせる、とどろくような音がする。夢とはちがって、凍ってはいない。眠りにつく前より、音が近くなったような気がする。

洞くつの中は、さっきよりも暗くなっている。ほんとうに〈月の犬〉が消えてしまったかのようだ。ラッキーは、寒さに震えた。まわりでは仲間が丸くなって眠っているが、さっきのような安心感はわいてこない。ラッキーは、みんなを起こさないように立ちあがった。

ムーンが教えてくれた方法で体をあたためよう。気が晴れるかもしれない。

砂をざくざく踏みながら、洞くつの入り口に向かう。そのとたん、なにか冷たいものに足の裏をさされ、驚いてとびあがった。水だ！〈果てしない湖〉が、すぐそこの砂の上に打ちよせ、シューッと音を立てている。波は洞くつの中にまで流れこみ、行く手をはばんでいた。

ラッキーは、ショックでものもいえなかった。どうにか気を取り直し、仲間に声をかける。

「起きろ！　湖が動いた！　出られない！」

8 トンネル

犬たちははね起きた。

「なんなの？」ベラが吠え、洞くつの入り口に駆けよってきた。足が水に触れたとたん、あわてとびのく。「この水、どこからきたの？」

「〈果てしない湖〉からだ！」ラッキーは吠えた。「岸からあふれてきたんだ」

入り口から新たに流れこんできた水が、泡立ちながら渦を巻いた。一段高くなった岩場が島のようになる。犬たちは、その岩の上で、ひとつにかたまった。恐怖のにおいが、塩のにおいとまざりあっている。

ムーンの見開いた目が、暗闇の中できらっと光った。「水が増えてる！」

「わたしがたしかめてくる」マーサが入り口に走っていき、水にとびこんだ。頭が沈み、すぐに浮かぶ。水流に逆らって泳ぎながら、砂洲をめざしているらしい。力強く体を振って水にもぐると、みえなくなった。ラッキーとベラは、ちらっと目を合わせ、泳ぎの得意なウォータードッグが浮かんでくるのを待った。ストームは、おびえてきゅうきゅう鳴いている。すぐに水面がふたつに割れ、マーサの顔が勢いよく現れた。

マーサは、島のようになった砂洲にはいあがると、寒そうに震えながら、ずぶぬれの体から水を振りはらった。「すごく冷たいわ。それに、水の流れが強くて、壁に押しもどされているみたいな感じなの。こんな水ははじめて。わたしはだいじょうぶかもしれないけど、みんなが泳げるとは思えない」

これをきくと、ムーンはパニックを起こして遠吠えをした。「閉じこめられた！　出られない！」やみくもにぐるぐる回り、ストームにぶつかっても気づかない。ストームは、ひと声うなってとびあがった。ラッキーも、恐怖で胃が痛くなった。心臓がどくどくいいはじめ、全身の毛が逆立つ。あたりは真っ暗で、凍えるように寒い。

「おぼれちゃう！」ストームが叫んだ。「凍えておぼれるのよ！」くるっと振りかえったはずみにベラにぶつかり、かっとなったベラは子犬のわき腹にかみついた。

冷静にならないと、だれかがケガをする――ラッキーは、はっとした。落ちつけ。ここから出たいなら、落ちつくんだ！

犬たちのまわりでは、流れこんできた水が渦を作り、ちらちらと銀色に光っている。小さく残った砂の地面が、波に飲みこまれそうだ。

ムーンが叫んだ。「〈大地の犬〉よ、わたしたちをお守りください！　この恐ろしい場所から、わたしたちを逃がしてください！」

「どうして祈ったりするの？」ベラが、なじるようにいった。「〈大地の犬〉なんか最近はちっとも力になってくれないじゃない。町のありさまをみなかった？　わたしたちが住んでたところなんて、あれよりひどかったわ。〈大地のうなり〉を起こしたのは〈大地の犬〉よ。なにもかも奪った――みんな、あの犬が悪いのよ！」

ラッキーはどきっとした。口には出さなくても、自分も同じことを思っていた――たしかに、〈大地の犬〉は、味方をしてくれるどころか、つらい目にばかりあわせてくる。だが、ほんとうに、そうだろうか。ふと、母犬の言葉を思いだした。「〈大地の犬〉は、死んだ犬たちを連れていく。でもそれまでは、わたしたちを守り、力を与えてくれる。昼も夜もみまもってくれる――必要になったときは、きっと助けてくれる」子犬のころ、穴に落ちたラッキーをみまもってくれたのも、〈大地の犬〉だった。ベラがまちがっているとしたら？〈大地のうなり〉を起こしたのが、〈大地の犬〉ではなかったのだとしたら？

ラッキーは、湖に背を向けた。洞くつに水が流れこんでくる恐ろしい音はきかないようにして、岩のにおいをかぐ。仲間の鳴き声や吠え声も無視して、においだけに集中する。ひげがぴくぴく震え、鼻先がうずいた。そのとき、弱い風のにおいがした――洞くつのどこかに、すきまがあるのだ。

だが、全員が逃げられるだけの広さがあるだろうか。

うしろを振りかえると、ムーンがストームをにらんでいる。ラッキーは声をかけた。

「ストームを責めるな。その子のせいじゃない！」

「じゃあ、だれのせい？」ムーンが吠えた。「フィアースドッグたちがいなかったら、いまごろ群れと合流してたはずよ！　でも、あの犬たちの居場所をつきとめなくてはいけなかった。なにを考えているのか探らなくてはいけなかった。あいつらがこの子を取りもどそうとしてるから。そのせいでどうなった？　閉じこめられてしまったじゃない！」

ストームは言い返そうともしない。かわりに、頭をそらして悲しげに遠吠えをした。そのとき、犬たちが身を寄せあって立っているせまい砂地に、大きな波が打ちよせてきた。ラッキーの足を、冷たい水が洗っていく。

「きいてくれ、出口をみつけたかもしれない！」ラッキーは吠えた。

とたんに、騒いでいた犬たちが静かになる。

「ずっと奥に、外へ続く穴が開いていそうなんだ。その穴をくぐれば外に出られるかもしれない」

ベラの目は、水と同じ銀色に光っている。「ウサギの巣穴みたいだったらどうするの？　くねくね曲がってて、行きどまりになってたら？」

ラッキーも同じことを心配していた。ベラの背後で波が盛りあがり、またしても犬たちの足に打ちよせる。もうすぐ、このあたりも水に飲まれてしまうだろう。「やってみる価値はある」

「水がどんどん増えてきてる！」ベラは叫んだ。「穴がせまくなったら、一匹ずつしか通れなくなる。ラッキーが出口をみつけても、追いつけないかもしれない！」

氷のように冷たい水に足をさらわれそうになりながら、ラッキーは、必死で落ちつこうとしていた。「はぐれないように気をつけておくんだ」

ムーンが両耳を立てた。「いい考えがあるわ！　みんなが前にいる犬のしっぽをくわえておくの。引っぱったりしないで、口ではさむだけ。列になって移動すれば、はぐれたりしない」

「それがいい！」ラッキーは吠えた。

「わたしが一番うしろになるわ」マーサがいった。「みんなより毛皮が厚いから、ぬれてもたいじょうぶ――息を止めておくのも得意だもの」

ラッキーは、その言葉に胸を打たれた。マーサにだって、ほかの犬たちと同じように、冷たい水から逃げようとする本能があるはずだ。だがマーサは、ほんものの〈群れの犬〉だった。どんなときでも、ほかの犬のことを優先する。

「マーサ、ありがとう。勇敢なきみがいてくれて、ほんとうによかった」そういうとラッキーは、岩場に向きなおった。さっそくベラが、しっぽの真ん中を慎重にくわえる。

ラッキーは、みんなに声をかけた。「みんな、ついていく仲間がちゃんといるかい？」

「いないのはラッキーだけよ」ベラが、しっぽをくわえたまま、くぐもった声で返事をした。

「ぼくには〈大地の犬〉がいる。きっと、道案内をしてくれるよ」

ベラのうしろにいるムーンが、期待をこめてひと声鳴いた。ベラはだまっている。〈精霊たち〉を頼る気持ちにはなれないのだろう。

「波に砂が削られてる！」マーサが不安そうに叫んだ。「足場がなくなりそうよ！」

「岩にあがるんだ！」ラッキーはうしろに向かって吠えると、洞くつの壁沿いに続く岩棚によじのぼった。岩棚は、屋根のようにつきだしたべつの岩の下から、急な斜面をえがきながら、上に向かって延びている。あたりは真っ暗だが、すきまから吹きこんでくる風が強くなるのが感じられた。ラッキーは、夢中でそちらへ向かった。しっぽを引っぱられているのがわかる。必死でついてこようとしているベラが地面を引っかく音や、ほかの犬たちが砂を踏みしめる音がきこえる。

水にぬれることはなくなったが、いまも、すぐ下で暴れまわる水の音はきこえていた。水かさは上がりつづけているようだ。ラッキーは、弱い風を追いかけることだけに集中した。塩のにおいや、仲間たちの体が発散する恐怖のにおいが強くて、風のにおいはいまにも消えそうだ。

ふと、ラッキーは足を止めた。闇の中に目をこらすと、行く手がふたつに分かれているのがみえたのだ。

「急いで！」ムーンが鳴いた。「水が迫ってきてるわ！」

〈大地の犬〉よ、お願いです——どちらへいけばいいのか教えてください。

「ラッキー！」せっぱつまったムーンの声が、決断を迫ってくる。ラッキーは、思いきって右のトンネルを選んだ。新鮮な空気が流れてきたからだ。だが、自信はない。犬たちが急いであとを追ってくる。

地面は、砂地から、ぬるぬるした石に変わった。ラッキーは足をすべらせ、けりあげた小石が、雨のようにばらばらと降ってきた。小石のひとつが前足に落ちて、ラッキーは悲鳴をあげた。歩こうとするとずきずき痛む。血のにおいがする。

「ケガをしたの？」ラッキーが傷をなめていると、ベラがたずねた。

「だいじょうぶ？」ストームの心細そうな声が、せまいトンネルの中でこだまする。

ラッキーは、足をおろした。注意していれば、なんとか歩けそうだ。「だいじょうぶ。みんな、ちゃんといるかい？」

「いるわよ！」ベラが、しっぽから口をはなして返事をした。

「だいじょうぶ！」ムーンとストームもいった。

「こっちもだいじょうぶ」マーサの声がした。「でも、水があがってきているの……」

「じゃあ、急ごう」ラッキーは、少し足を引きずりながら歩きはじめた。いきなり、足元を水が洗っていった。暗いトンネルの中を、ここまで流れてきたのだ。ストームやマーサのいるうしろのほうは、もっと水かさが高いはずだ。

ラッキーは速度をあげた。ぬれた岩の上ですべらないように注意を払い、新鮮な空気を追いながらトンネルをたどっていく。すぐに、水が足のつけねにまで届き、ひたひたと腹に打ちよせた。トンネルは急なカーブをえがいている。ぎざぎざした岩がいくつもかたまって、行く手をふさいでいた。ラッキーは、慎重に岩をまたいだ。しっぽをくわえたベラの口にも、力がこもっている。だが、ぶじに岩を乗りこえたベラは、口から力をぬいた。

大きく息を吸うと——また、あのにおいがした。新鮮な空気のにおいだ。ラッキーは、氷のように冷たい水の中を、はねたり泳いだりしながら進んでいった。

「助けて！」マーサの声が響いた。「止まってちょうだい！」

心臓がどきっとする。マーサが叫んだということは、ストームのしっぽをくわえていないということだ——まさか……。

「ストームはどこだ？」ラッキーは吠えた。

「あの子のしっぽが、急に口からぬけてしまったの」マーサの声はせっぱつまっている。

ムーンが不安そうにいった。「わたしのうしろにもいない。どこにいるのかわからないの。水も増えてきているし——ストームは泳げるの？」

「みんな、その場から動くな！」ラッキーは強い口調でいった。マーサが吠えはじめる。「静かに！」鋭い声でいうと、犬たちはぴたりと静かになった。平静をよそおいながら、ラッキーは子犬に呼びかけた。「ストーム？　ストーム、どこにいる？」

少しのあいだ、流れこんでくる水のざあざあという音や仲間の荒い息の音しかきこえなかった。そのとき、小さな声がきこえた。

「ここよ！　だいじょうぶ！　足がすべって水に落ちちゃったの。でも、もうだいじょうぶ」

　ラッキーは、体じゅうの緊張が一気に解けた。マーサとムーンが子犬のもとへいき、列に連れもどす。しばらくすると、犬たちはまた一列になり、それぞれのしっぽをくわえた。ラッキーは、きつい塩のにおいの中から、さっきみつけた新鮮な空気のにおいを探しだそうとした。トンネルが下に続いていたらどうなるのだろう？　全員、おぼれてしまう。

「その調子よ」ムーンがストームをはげましている。「ゆっくり、一歩ずつ。そのほうが安全だから」

「そうそう」マーサも声をかけている。

　ラッキーは、力を合わせる仲間たちの姿に、胸を打たれた。急に元気がわいてくる。鼻先をあげて、ふかぶかと息を吸う。そのとき——たしかに、甘い空気のにおいがした。ほんの一瞬だったが、十分だ。

「こっちだ！」ラッキーは、急な坂になっているトンネルをのぼりはじめた。石の壁のあいだに、真っ暗な通路ができている。

　進んでいくと、ふたたびトンネルが二手に分かれた。

「今度はどっち？」ベラが、はあはあ息をしながらたずねた。

ラッキーは耳をすました。下のほうからは、〈果てしない湖〉の波が、水に沈んだ洞くつに打ちよせる音がきこえてくる。だが、ここまでくれば、波が届くこともなさそうだ。水からどれくらい遠ざかったのか、正確にはわからない。

「〈大地の犬〉よ、道を教えてください」ラッキーは、祈るような思いでつぶやいた。

仲間は息をつめて答えを待っている。ラッキーも待ちかねていた。だが、どちらの道にいけばいいのか導いてくれる明かりも、あたたかい日の光も、においもない。自分で決めなくちゃいけないんだ――ラッキーは気づいた。ひげがちくちくしてくる。みんなを不安にさせたくない――〈精霊たち〉に助けてもらえなければ、見捨てられたように感じるかもしれない。いまは真実よりも、仲間を団結させ、落ちつかせることが大事だ。

ラッキーはせき払いをすると、明るい声を作ってウソをついた。「わかった！〈大地の犬〉が語りかけてきた……正しい道は、こっちだ！」そういうなり、左のトンネルに駆けこんでのぼりはじめた。前足の激しい痛みは無視する。ほかの犬たちは、うれしそうに吠えながら、急いであとに続いた。

ムーンの声がきこえた。「〈大地の犬〉が導いてくれてるのね。もうだいじょうぶだわ」

ベラでさえ、ラッキーのしっぽをくわえる前に、ほっとしたように息をついた。

道はますます険しくなっていった。崖の中を続いているにちがいない。いったい、どこへ行き着くのだろう。考えたくもないが、行き止まりになるかもしれないし、通りぬけられないほどトンネルが細くなるかもしれない。岩がわき腹をかすめた。壁と壁のあいだがせまくなっている。心臓がどきどきいいはじめ、ケガをした前足はますます痛みはじめた。ラッキーはめまいを感じ、立ちどまって前足をなめた。いま、なにかがきこえたような気がする——。もしかして、むこうの群れの吠え声だろうか……そう思ったとき、また同じ声がきこえた。かすかだが、まちがいない。深く、すんだ声が、岩壁のむこうからきこえたのだ。

「静かに！」思ったより鋭い声が出た。ほかの犬たちが、ぴたっと口を閉じる。

ラッキーは耳をそばだてた。いまの声は、ここからそう遠くないところからきこえてきた。話している内容までは聞きとれないが、声の主はわかる——ラッキーが、何度も思いだしていた声。もう一度ききたいと、心から願っていた声。「スイート！」ラッキーは、思わずつぶやいた。一瞬、自分を呼んでいるのだろうかと考えたが、ラッキーがここにいることを、スイートが知っているわけがない……いまはまだ。

ラッキーは、一気に足を速めた。ベラの口からしっぽがすりぬけるのがわかる。前足の痛みも忘れて、歩きにくいごつごつした岩の上を急いだ。自分の耳ざわりな息の音と心臓の音がする。走りつづけていると、かたい石の地面が、ざらざらした砂地に変わった。

しばらくすると、いままで闇に隠れていた自分の前足が、ぼんやりとみえはじめた。トンネルはしだいにせまくなり、とうとう土の壁で行き止まりになった。ラッキーは、壁から射しこむ細い光に向かって突進すると、夢中で掘りはじめた。土をけあげるラッキーを手伝って、ペラとマーサが壁を押す。そのあいだもラッキーは、スイートのほっそりした顔や、やわらかい耳や、大きな茶色い瞳のことを考えていた。最後に力いっぱい引っかくと、とうとう壁は、ぼろぼろと崩れ、土と砂が小山になった。

まばゆい日の光が、暗闇を明るく照らしだした。

9 再会のとき

ラッキーは、土ぼこりがもうもうと立ちこめるなか、トンネルから外へととびだした。草地に転がり、冷たく新鮮な空気を思う存分吸いこむ。すぐ横をベラが元気いっぱいに走っていく。ストームが勢いよくあとに続き、はしゃいでジグザグに駆けまわる。

「外よ！　外に出られた！」ストームが吠えた。「ラッキーのおかげ！」

「〈大地の犬〉が、ラッキーに語りかけてくれたのよ！」ムーンは息を切らしながら、陽だまりにどさっと体を投げだした。

マーサは、そのとなりで腹ばいになり、ため息をついた。厚い毛皮は泥まみれだ。前足から泥をなめとろうとしていたが、すぐにあきらめて、日の光の中で伸びをした。「空気がこんなにおいしいなんて、知らなかったわ」

ベラが、力いっぱい体を振った。「風は冷たいけど、ちっとも気にならない。風っていいものね」そういうと、トンネルの崩れた入り口に近づいて、岩や土のにおいをかいだ。「ここって、前はキツネの巣穴だったんじゃないかしら。きついにおいが残ってるもの」

ラッキーは、きょうだいをじっとみた。ベラがキツネたちと取り引きして、〈野生の群れ〉を襲わせたときのことを思いだしたのだ。だが、〈囚われの犬〉と〈野生の犬〉が対立していたあのころから、ほんとうに長い時間が過ぎたような気がする。ベラは、キツネのにおいで暗い過去を思いだしたのだとしても、それを表情には出さなかった。

ラッキーは前足を伸ばして体を起こし、まっすぐに立つと、あたりのようすを慎重に観察した。ここは、崖のてっぺんだ。おそるおそる崖のふちに近づく。切りたった岩壁のふもとには、ごつごつした灰色の岩場があった。〈果てしない湖〉が、白い水煙をあげながら、岩場に激しく打ちよせている。

崖のふちから後ずさり、遠くにある草地をながめた。草地はゆるやかな下り坂になって、谷間に続いている。あのあたりなら、強い風も届かないはずだ。このへんではめずらしく、低い木立もある。木々のあいだで、緑色のなにかが光を反射していた。ラッキーはつばを飲みこみながら、あれは新鮮な水の飲める池にちがいない、と考えた。

安全で居心地もよさそうで、群れの野営地にはぴったりだ。そして、木があるところには、リスがいる……きっと獲物(えもの)もみつかるだろう。

〈野生の犬〉たちのにおいをかぐと、うれしくてぞくぞくした。においを簡単にかぎわけられるくらい近くにいる。アルファ、スナップ、ブルーノ、サンシャイン、スイート……そのとき、また、スイートのくぐもった声がきこえた。

「群れは谷間にいる！　いこう！」ラッキーは、明るい声で吠(ほ)えた。

ゆるやかな下り坂を一気に駆(か)けおりていく。自由になったよろこびをかみしめながら、草地を思いきり走る。木立(こだち)にとびこみ、群れのいるほうへまっすぐに向かう。すぐにスイートの姿がみえた。形のいい前足をなめている。声をかけようとした瞬間(しゅんかん)、だれかに体当たりされて転がり、地面に激しく鼻をぶつけた。

「動くな！　だれだ？」しゃがれたうなり声がきこえる。

この強いにおいの持ち主は、よく知っている。「ブルーノ、ぼくだよ！」

「ラッキーか？」ブルーノは、ぱっと体を引いた。「おまえだったのか！」そういうと、うしろめたそうに茶色い鼻をなめた。「悪かった。においに気づかなかったんだ……」

ラッキーは、自分の前足のにおいをかいでみた。毛皮には、土と泥(どろ)と塩水が厚くこびりついていて、キツネのにおいも少しついている。ブルーノがわからなかったのも当然だ。

「おかえりなさい！」かん高い声がきこえた。小柄な犬が弾むようにとびだしてきたかと思うと、ラッキーのすぐそばにやってきて、子犬のようにしきりに前足で宙をかいた。以前は真っ白でやわらかかった毛が、いまでは灰色に汚れ、顔のまわりでもつれ合い、長いひものようになっている。毛に隠れた体は、よくみると痛々しいほどやせていた。

「サンシャイン？」ラッキーは、信じられない思いで声をかけた。こんなに変わってしまったなんて……。

となりにミッキーがやってきた。「ラッキー！　ほんとうにきみなのか？」牧羊犬は白と黒のしっぽを激しく振りながら、ラッキーと鼻を触れあわせた。目はかがやいているが、毛の上からでもわかるほど骨が浮きでている。小さなデイジーも、スナップとスプリングといっしょに駆けよってきた。たちまち犬たちはラッキーを取りかこみ、うれしそうになめはじめた。急に、群れがさっと道を開けた。スイートが上品に歩いてきたのだ。細い顔を軽く下げる。

スイートは、ラッキーの顔に鼻を押しつけた。「もどってきてくれてよかった。なにか……なにかあったんじゃないかと思ってたの」

目が合うと、ラッキーはつらい気持ちになった。スイートは前と変わらず美しかったが、しなやかな体は、筋肉が落ちて骨が目立っている。両目の下には黒い影ができていた。スイートだけでなく、群れはどの犬もやせていた。スイートと見つめあっていると、毛がかすかに逆立つような気分になってくる。そのときスイートは、ベータとしての立場を思いだしたらしい。うしろに下がり、低い木のそばにすわると、群れの犬たちがうれしそうにラッキーを取りかこむようすをながめた。

ミッキーが、両耳をぴんと立てて声をあげた。「マーサ！」犬たちがいっせいに振りかえる。大きな黒い犬が、木々をぬいながら近づいていた。泥を振りはらったのか、さっきよりもマーサらしくなっている。

そのすぐうしろを、ストームとムーンとベラが追ってくる。仲間たちをみると、いかにもうれしそうにかん高い声で吠えた。

「母さん！」ソーンとビートルが、転がるようにムーンに走りより、胸に顔をうずめた。ムーンが子どもたちを引きよせ、耳をなめる。二匹は、全身を震わせるようにして、夢中でしっぽを振っていた。

「愛しい子どもたち、ちょっとみないうちに大きくなったわね！」

ビートルは胸を張った。「ほんと？」

ソーンが母犬から体をはなし、木立のほうをみた。「父さんはどこ？」

ビートルも頭を低くして、まわりを探している。はしゃいでいた犬たちが、ふと静かになった。空気のにおいをかぎながら、しっぽをこわばらせる。ラッキーは耳を垂れ、鳴き声がもれそうになるのをこらえながら子どもたちをみつめた。

「フィアリーはどこだ？」

オオカミ犬の声がして、ラッキーはとびあがった。アルファが、ゆっくりと群れの中を歩いてきて、長い顔でムーンをみおろす。むせ返りそうな獣(けもの)のにおいがする。

ムーンはうなだれた。小さくひと声鳴き、頭を低くする。子どもや仲間の前であの話をするのはつらいのだろう。だれかべつの犬が話すのを待っているようだ。

口を開こうとする者はいない。ラッキーは、暗い気分で、返事を待っているアルファと群れをみた。大きく息を吸う。ぼくが話さなきゃ……。

「フィアリーは、〈大地の犬〉のもとに召(め)された」そう切りだすと、群れからいっせいに鳴き声があがった。「フィアリーは、残酷(ざんこく)な黄色いニンゲンたちの手で、おりに閉じこめられていたんだ。ほかの生き物もつかまっていた。コヨーテやキツネやシャープクロウ、ウサギも少しいた。どの生き物も病気になっていた」

スイートが、かたい表情でたずねた。「どうして病気に？」

ラッキーは耳を震わせた。「わからない。フィアリーによると、ニンゲンたちに、緑色に光る川の水を飲ませられたせいらしい。ブルーノも、同じ毒の水でひどい目にあったことがある」年かさの猟犬は、そのときのことを思いだして鳴いた。ラッキーは、ニンゲンたちがなにをたくらんでいたのか考えながら、顔をしかめた。「たぶん、川の水を飲んでもだいじょうぶかどうか、調べようとしていたんだと思う。だけど、だいじょうぶなわけがない。フィアリーはあんなに強かったのに……」ラッキーはいいよどみ、目をつぶった。強くたくましい戦士だったフィアリーの姿を思いえがく——ニンゲンたちにつかまる前の姿を。変わりはてた弱々しい姿は忘れてしまいたかった。ラッキーは目を開け、話を続けた。「ぼくたちは、フィアリーとほかの生き物たちを逃がした。だけど、手遅れだった。フィアリーの体はぼろぼろになってたんだ。目をみればわかった。もどってくる途中で、フィアリーは死んでしまった」悲しみでひげが震え、ラッキーはだまりこんだ。これ以上は続けられない。

ソーンが天をあおぎ、悲しげに遠吠えをした。ビートルは力なく腹ばいになり、前足に頭をあずけて遠くをみつめている。そして、小さな声で、だれにともなくたずねた。「ニンゲンは、どうしてそんなことをしたの？」

アルファは、ゆっくりと首を振った。「フィアリーのように忠実でりっぱな仲間を失うとは、じつに残念だ。最後まで真の〈群れの犬〉だった。惜しい犬をなくしたものだ」スナップとスプリングは、しきりに鳴きながら頭を下げ、デイジーは足元に視線を落とした。ラッキーは、ほおひげが震えるのを止められなかった。アルファの声は、どことなくしらじらしい——悲しんでいる振りをしているような、わざとらしさがある。ラッキーは、オオカミ犬の表情を探ろうとした。冷ややかな黄色い目には、なんの感情も浮かんでいない。口では悲しんでみせているが本心はちがうはずだ。フィアリーがぶじにもどっていれば、群れのリーダーの座をめぐって、アルファに戦いを挑んでいたのだから。

アルファが、ラッキーの視線に気づいた。片耳をぴくりとそらし、りっぱな灰色の尾をこわばらせる。

「まだ、報告があります」ラッキーは、急いでいった。

オオカミ犬はすわり、前足をなめはじめた。悲しむ振りは、はやばやとやめている。

「続けろ」

ラッキーは、怒りをこらえた——フィアリーの死はどうでもいいのか？

一瞬、ベラがラッキーと目を合わせた。同じことを思ったらしい。だが、いまは、群れの全員が自分に注目している。それに、フィアリーの死を悲しむような優しさをアルファに期待しても、意味がない。ラッキーは、からからになったのどで話を続けた。「フィアリーとほかの生き物たちを逃がしたあと、テラーの群れに会いました」

サンシャインが叫んだ。黒い目がおびえて光っている。

スナップがぱっと顔をあげ、首すじのかたい毛を逆立てた。「なにがあったの？」

ラッキーは、どこまで話せばいいのか迷っていた。テラーが死んだいま、あの群れを警戒する必要はない。「争いになって、テラーは死んだ。頭のおかしい凶暴な犬だった――ぼくたちを襲わせたのは、あの犬なんだ。ほかの犬たちは、身を守るために戦うしかなかった」

ムーンは身ぶるいし、静かな声でつけくわえた。「争いになったときも、テラーは発作に襲われていたの」

アルファは片方の前足で軽く地面を打ち、両耳を前に倒した。「いつの話だ？」

ラッキーは、仲間のまわりをゆっくりと歩きながら答えた。「〈果てしない湖〉にたどりつく前です。もう心配ありません。テラーはいなくなったんですから」あの戦いがあったとき、ストームは、血だらけで転がったテラーのそばに立っていた。ラッキーは、その記憶を頭からむりに追いやった。「テラーが、群れをけしかけていただけなんです。あの犬がいなくなったいま、あの群れは敵ではありません」

スプリングが、黒く長い耳をゆらしながら、前に進み出てきた。「トウィッチはどうなったの？　いまもあの群れにいるんでしょう？　わたしのきょうだいは、ぶじなの？」黒い目を見開き、不安そうにしっぽを振る。

ラッキーは足を止め、スプリングをみた。「ぴんぴんしてるよ」

「テラーが襲ってきたときも、わたしたちを助けてくれたの。いっしょに戦ったのよ」ムーンがいった。

スプリングはうれしそうにしっぽを振りはじめた。そして、ムーン、ラッキー、ベラ、マーサ、ストームを順番にみた。「でも、どうしてここへ連れてこなかったの？」

ベラが首を横に振る。「トウィッチは、新しい群れといっしょよ」一瞬まをおき、得意げな顔で続けた。「群れのアルファになったの」

群れから驚いたような声があがり、スプリングは目をまん丸に見開いた。「トウィッチが、アルファ？」

白と茶色のやせた猟犬のダートが、黒い鼻をなめながら口走った。「でも、どうして……？」スプリングの視線に気づくと、うしろめたそうに目をそらす。「わたしたちのもとを去ったときは、足にひどいケガをしてたじゃない。みんなだって……その、わたしも仲間の成功はうれしいのよ、ほんとに。でも、アルファだなんて」

「トウィッチはすばらしい犬だよ」ラッキーはいった。「そして、ぼくに大事なことを教えてくれた。強さにはいろんな形があるんだ。ほかのみんなと同じじゃなくたって、この世界で道を切り開くことはできる」

「自分のきょうだいがアルファになるなんて！」スプリングは、まだ信じられないようすで声をあげた。

ラッキーは、金色の毛におおわれた頭を振った。「みんなトウィッチを尊敬してたよ。きっと、いいアルファになる。勇敢な戦士だし、わけへだてがなくて、忠実な犬だから。トウィッチがいなかったら、ぼくたちはぶじに帰りつけなかったよ」

群れは口々に吠えてトウィッチをたたえた。ラッキーは、耳をぴくっとさせた。低いうなり声がきこえたような気がしたのだ。振りかえると、アルファがくちびるを引きつらせ、長い牙をのぞかせている。ラッキーは、胸の奥でつぶやいた。ほかの犬はだませても、ぼくだけはだませない。だまされるもんか……。

「トウィッチが町でわたしたちをみつけたとき、もっと優しくしてあげればよかったわ」スプリングは悲しそうにつぶやき、黒と茶色のしっぽを垂れた。「きょうだいを、誇りに思わなくちゃいけなかった。いまならわかる。新しい群れでしあわせになってほしい。それに、いつかもう一度会いたい」

猟犬のダートがスプリングに駆けより、鼻をなめた。「だいじょうぶ、きっと会える」

「トウィッチが群れを率いてるなんて！」スナップが叫び、短いしっぽを振った。「ほんとにすごいわ！」

「いつまでわめいている。三本足の犬の話は、もう十分だ」アルファが、ぎらつく牙をのぞかせながら、吐きすてるようにいった。「あんな負け犬の寄せ集めなど、どうでもいい」スナップも、ほかの犬たちも、ぴたりと口を閉じた。だが、ソーンだけはちがった。苦しげな遠吠えはやんでいたが、かわりに、すがりつくような鳴き声をあげている。ムーンは、しきりに子どもの耳をなめ、なだめようとしていた。群れが静まりかえったいま、冷たい空気には、ソーンの鳴き声だけが響きわたっていた。耳をふさぎたくなるほど痛々しい鳴き声だった。

オオカミ犬は、ソーンの声に心を動かされたようすもない。表情をぴくりとも変えない。なにもきこえていないかのように、ラッキーをみおろす。「ほかに報告は？」

しかたなくラッキーは、ソーンの声にかぶせるように答えた。「ここへくる途中で、水辺にニンゲンの町がありました」

「ああ、あそこは避けて通った」アルファはいった。ムーンが考えていたとおり、群れはニンゲンのすみかを通らないように、遠回りをしたらしい。

ラッキーはうなずいた。「ぼくたちは、みんなに追いつこうとしていました。だから、近道をするために、町を通ったんです。そこで、あるものを発見しました――フィアースドッグの新しい野営地です」

不安そうなざわめきがあがる――群れの体から、恐怖のにおいがただよってくる。アルファは黄色い目を見開き、うなじの毛を逆立てた。「やつらは町にいるのか？　やはり、わたしの直感は正しかったわけだ！」

「町の中心にある大きな建物をすみかにしています」

ずんぐりした体で鼻のつぶれたホワインが、首を振った。「おしまいだ！　フィアースドッグが追ってきた！」

ダートは、おびえた声で吠えている。

スプリングも体をこわばらせ、首の毛を逆立てていた。ラッキーは、仲間をなだめようと話を続けた。「だけど、これはいい知らせなんだ。敵の居場所がわかったわけだし、あいつらは町に住みついている。ぼくたちを追ってるわけじゃない。町に近づかなければ安全だ」

「近づくわけがないだろう」アルファが鼻を鳴らした。

「おもちゃをくれたって、町になんていかないから！」マルチーズのサンシャインが叫んだ。おびえて目を見開いている。

ラッキーは、小さな犬を鼻でなでた。「きみを町にいかせたりしないよ」

サンシャインは、鼻息も荒く、しっぽで地面を打った。「そう、じゃあ、いいんだけど」

アルファは長い足で伸びをすると、まっすぐに立ちあがった。「これで終わりだな……」肩をそびやかして去ろうとする。

ラッキーはストームをみて、安心させるためにうなずいてみせた。「最後に、もうひとつあります。この子はもう、リックという名ではありません。歯も生えそろいましたし、何度も助けてもらいました。忠実に尽くしてくれたんです。働きぶりは成犬に負けません」

ストームは誇らしげに背中を伸ばしてすわり、淡い茶色の口元から舌を垂らした。

アルファがぴたりと足を止め、さっと振りむく。

ラッキーは続けた。「何日か前に〈名付けの儀式〉をしたんです。この子は、ストームという名前を選びました」

群れは驚きの声をあげ、ラッキーとフィアースドッグを交互にみた。

気立てのいいスナップは、さっそくしっぽを振りながら近づいてきた。

「おめでとう、ストーム」

スプリングもあとに続く。「ストーム、群れにようこそ」

「ようこそ、ストーム」ミッキーとブルーノが声を合わせる。

アルファの猛々しい遠吠えが、祝福する犬たちの声をさえぎった。「調子に乗るな！」群れの犬たちはすくみあがり、ストームは小さくなって、両耳をぺたりと寝かせた。オオカミ犬は、ラッキーのほうを向き、それから、フィアリーを助けにいった犬たちを一匹ずつにらんだ。ベラ、マーサ、ムーン。だが、ストームのほうは、決してみようとしない。仲間ではないことを思い知らせようとしているのだ。ラッキーは、怒りがこみあげてきた。

アルファが、一段と険しい表情でいった。「わたしの許可もなく、よくも〈名付けの儀式〉などできたな」

ムーンは、目を伏せたまま、慎重に答えた。「アルファ、あなたはいらっしゃいませんでした。正しいことだと思ったのです。ストームは、いっしょうけんめいに戦って、わたしたちをテラーから守ってくれました。忠実で勇ましい仲間ですし、儀式にはちょうどいいときでした。この子には、名前を選ぶ権利があったんです」

「正しいことだと思ったのです、だと?」アルファは、あざけりをこめてくりかえした。「おまえに儀式のなにがわかる?」オオカミ犬の牙が光り、ムーンは後ずさった。ビートルとソーンは、しっぽをかたく体に巻きつけ、アルファをみつめている。鳴いていたソーンは、押しだまっていた。

ラッキーは、くちびるを引きつらせ、うなり声がもれないようにこらえた――フィアリーの死を悲しむ振りをしたくせに、その家族を思いやる気はないのだろうか。結局、これが本性なのだ。

アルファは、これみよがしに体を振った。「わたしが認めていない儀式にはなんの意味もない! 正しい手順を踏んでいない儀式など時間のむだだ」ようやくストームと目を合わせたが、さげすむような目つきを前にして、幼いフィアースドッグはちぢみあがった。アルファは、子犬をにらんだまま、話をつづけた。「すべて、これまでどおりとする。こいつはいままでと変わらん――野蛮でおろかなフィアースドッグだ。いままで同様、リックと呼ぶように。こいつの名前など呼ぶ必要もないはずだが」

「アルファ、どうかお考えなおしください」マーサが、ストームのそばに近づきながらいった。

「わたしに意見するとはいい度胸だ」オオカミ犬はうなった。

マーサは悲しげにうなだれ、ストームの頭をなめた。フィアースドッグは、打ちひしがれたように、ぺたんと腹ばいになった。犬たちは、抑えた声でささやき交わすばかりで、アルファの決定に反対しようとはしない。

ラッキーは動けなかった。怒りで体が震え、のどがかっと熱くなる。フィアースドッグの選んだ〝嵐〟という名前はどこか気がかりだったが、それでも、この子には好きな名前を選ぶ権利がある。だが、いま反論しても、なにもいいことはない。自分が言いかえせば、アルファはそれを利用して、ストームを群れから追い出そうとするだろう。はじめから、アルファの目的はそれだ。ラッキーは、ほかのだれかが反論してくれないだろうか、と心のどこかで期待していた。フィアリーにかわって群れのリーダーをめざす犬はだれだろう。仲間をみまわしていると、スイートに目がとまった。静かになりゆきをみまもっている。

前よりやせてはいても、スイートのひきしまった体はがんじょうそうにみえた。目は生気にあふれ、けっして油断しない。説得すれば、ベータの地位を捨ててくれるだろうか。リーダーの座をめぐる戦いを挑まれれば、オオカミ犬に拒む権利はない。そうすれば、スイートとアルファは戦うことになる。スイートにはどれくらい勝ち目があるのだろう。

アルファが背を向け、木々のあいだをゆっくりと遠ざかっていく。集会はおしまいだ。

空気がぴりぴりしていた。そのときサンシャインが、はねるような足取りでラッキーたちに駆けよってきた。いかにもうれしそうな顔をみると、ラッキーは急に明るい気分になった。マルチーズの首の毛には小枝が引っかかっているが、気づいていない。いまも、群れの最下位であるオメガとして働いているのだ。だが、サンシャインは、オメガの仕事が気に入っているらしい。「ついてきて。池に案内してあげる。水が飲めるし、体についた土と砂を洗いながせるでしょ」

ラッキーは感謝をこめて小さく吠え、あとについていった。ふとうしろを振りかえると、木々のあいだで立ちどまっているアルファの姿がみえた。大きな体は木陰にまぎれているが、ぎらつく目がこちらを監視しているような気がした。不安で、背筋がぞくっとする。アルファはなにかをたくらんでいる。なにか、不吉なことを。

10 戦いの幻

ラッキーは池につかると、ほっと息をついた。毛にこびりついていた砂や泥が流れていく。刺すような水の冷たさも気にならない。ストームといっしょに水浴びをしているマーサをみて、子犬を元気づけてくれる優しさをありがたく思った。心の中で、〈川の犬〉に祈りをささげる。きれいな水を与えてくださって、ありがとうございます――。

ベラがとなりに泳いできて、前足で肩をつついた。「ラッキーってすごいのね」

「なにが?」ラッキーは、浅い水の中でしっぽを振った。

「ラッキーがいなかったら、洞くつから出られなかったもの。一度でも道をまちがったら、あそこで、おぼれ死んでたはず。なのに、ちっとも怖がってなかったし、〈大地の犬〉とも通じあってた」

ラッキーは、きょうだいの鼻を軽くかんだ。「おだてるなって!」

「ほんとだってば」ベラもじゃれ返した。「ちょっとほめ過ぎた？」

ラッキーは、ベラの耳に口を近づけていった。「正直いうと、どっちに進めばいいのかわかってなかったんだ。みんなを安心させたくて、〈大地の犬〉と話してる振りをした。道を教えてもらったりしてない――ただのまぐれあたりだよ」

「でも、あのときは、わたしもラッキーの言葉で落ちついたもの。〈大地の犬〉がそばにいても、いなくても、本能だけはあなたを見放さない」

ラッキーは話しながら、目のはしでムーンをみていた。池からあがった母犬に、ビートルとソーンがじゃれついている。「じゃあ、ウソをついたのはまちがってなかったのかな」

「ええ、正しいことをしたと思う。それに、〈大地の犬〉は、たしかにわたしたちを守ってくれたもの。小さなウソくらい許してくれるわよ」

池のふちをみると、スイートがラッキーを待っていた。あたりの長い草は、朝つゆがおりてきらきら光っている。空気は冷たく、すがすがしい。スイートに近づくと、うれしくてひげが小さく震えた。

「もどってきてくれてよかった」スイートがいう。

ラッキーはうなずいた。「もどってこられてよかった。ここはいい野営地だね」

「ええ、まあね……」スイートは振りかえり、木々と、その先の〈果てしない湖〉をみた。

「フィアースドッグのことを、もう少しききたいの――どこに野営地があるのかとか、どのあたりをパトロールしてるのかとか。でも、あとにしましょう。いまは少し休んで。くたくたでしょうから」茶色く優しい目で、ラッキーをじっとみる。

ラッキーは、ぬれた体を振って、日当りのいい草地で腹ばいになった。枝を伸ばす木々が、風をさえぎってくれている。目を閉じてため息をつくと、まぶたの裏に、思いやりにあふれたスイートの顔が浮かんだ。

ここなら〈氷の風〉の季節も、なんとか乗りきれそうだ。

足音がしてぱっと目を開けると、マーサが近づいていた。となりには明るい顔のストームがいる。二匹はラッキーのとなりにすわり、群れの仲間がそれぞれの仕事に取りかかるのをいっしょにながめた。デイジー、ダート、スプリングは、パトロールに出かける用意をはじめ、ブルーノとミッキーとスナップは、狩りにいくために集まっている。猟犬たちは、ラッキーたちのそばを通りすぎながら、声をかけていった。

ミッキーはしっぽを振っている。「ラッキー、もどってきてくれて、ほんとうにうれしい。マーサ、きみも。それから……その……ストームも」〝ストーム〟というときには、声を抑えて、心配そうにうしろをたしかめた。

「ほんとに、また会えてよかった」スナップもうなずいた。「ストーム、すっかり大きくなったわね」ミッキーとはちがい、フィアースドッグの新しい名前を口にするときも、悪びれたようすはみせない。ストームは、目をかがやかせてしっぽを振った。

ラッキーは考えこんだ。みんな、アルファに反発しはじめてるみたいだ。オオカミ犬の群れを支配する力は弱まってきたんじゃないだろうか――。

猟犬とパトロール犬が立ちさると、ストームは、ラッキーとマーサを振りかえった。

「みんな、あたしの名前が気に入ったみたい。使ってくれてるもん！」

マーサは首をかしげた。「アルファは、あの儀式は正式なものじゃないって」

「でも、スナップは生まれつき〈野生の犬〉でしょ。なのに、そんなこと気にしてなかった」

ストームはいった。「正式かどうかなんて、関係ないのかも。だって、アルファに〈名付けの儀式〉のなにがわかるの？　ちゃんとした犬でもないくせに！」

ラッキーはぎょっとして、急いでうしろをたしかめた。きかれていたら、どうするつもりだろう。いまの言葉は、ストームを群れから追い出す十分な理由になる。「気をつけて」抑えた声で注意する。「アルファにきらわれたくないだろ？」

「もうきらわれてるもの」ストームはうなった。「アルファこそ、あたしにきらわれないほうがいいわ」

群れが木々のあいだの空き地に集まるころ、〈太陽の犬〉は眠りにつこうとしていた。ラッキーは口のまわりをなめながら、獲物を楽しみにしていた。

猟犬たちは、群れの決まりにしたがって、きちんと並んでいる。だが、どの犬をみても、沈んだ顔だ。ブルーノは両耳をそらし、となりに立ったミッキーは、顔を伏せてしっぽを垂らしている。その理由は、サンシャインが円陣の中心に獲物を運んできたときにわかった。獲物は、ほんのわずかしかない。ネズミが二匹に、やせたハトが一羽、それでおしまいだ。群れの犬たちは、ひもじそうな顔で獲物をみつめている。きっと、同じことを考えているにちがいない。みんなで分けあえば、ひと口分にもならない……。

ミッキーは、暗い顔でいった。「つかまえられたのはこれだけだった。〈氷の風〉の季節だから――獲物がどんどん減っている」

役目を終えたサンシャインは、急いでホワインのそばに並んだ。さっそくアルファが気取った歩き方で獲物に近づく。少しにおいをかぐと、あっというまにネズミを――二匹とも――飲みこんだ。

ラッキーは、それをみてあきれた。オオカミ犬は、群れのことをちっとも考えていない。やせたハトは、分けあえばすぐになくなってしまうだろう。犬たちは順番にハトに近づき、わずかな取り分を食べていった。アルファは冷ややかに群れを見張っていたが、やがて、どうでもよさそうにそっぽを向き、前足の手入れをはじめた。

オメガの番がくるころには、ハトはほとんど残っていなかった。サンシャインは肉のかけらをかじり、細い骨をなめた。

ラッキーは、そっと近づいた。「いつもこんな感じなのかい？」

「いつもじゃないけど……」サンシャインは骨をかみくだき、顔をしかめて飲みこんだ。「でも、ちょっとずつひどくなってる。〈氷の風〉だから、しかたないの」

ラッキーは顔をしかめた。あらためてサンシャインをみると、毛は灰色にくすんでくしゃくしゃにもつれ、その下の体は痛々しいほどやせている。「だけど、公平に分けることはできるだろう？」

「これが群れのやり方みたい」サンシャインはため息をついた。「こういう決まりなのよ」ちらっとアルファをみる。オオカミ犬は前足をなめながら、むこうの谷間をながめていた。サンシャインは、声を小さくして続けた。「でも、ときどき……ときどき、ニンゲンのおうちに帰れたらいいのに、って思っちゃうの。毎日二回、食べ物が入った大きいお皿を出してもらえて、あたたかい寝床もあって」そういって、ぶるっと体を振る。「ばかみたいね。あたしはもう、〈群れの犬〉なんだもの」むりに元気な声を出している。「ラッキー、明日は、おいしい獲物をたくさん取ってきてね！」

空にのぼった〈月の犬〉は、まん丸に太っていた。

アルファが声をあげる。「気前よく獲物を恵んでくれた〈大地の犬〉に、感謝の祈りをささげよう」

気前がいいとは思えなかったが、ラッキーはなにもいわなかった。仲間とおなじように押しだまり、アルファが〈グレイト・ハウル〉をはじめるのを待つ。

群れと声をあわせて遠吠えをしていると、オオカミ犬に対するわだかまりが少しずつ消えていった。〈精霊たち〉が、すぐそばをはねまわっている。勇敢で賢く、すべてを見透かし、大地と、空と、水とつながった犬たち。ラッキーは〈森の犬〉に感謝をささげた。木々が生えていないような土地でも、変わらずみまもってくれている。〈天空の犬〉にも感謝した。洞くつの中で、空気を送ってくれたおかげで、仲間のもとにもどることができた。ラッキーは最後に、自分たちを洞くつから解放してくれた〈大地の犬〉に感謝した。そして、どうかフィアリーの魂を守ってください、と頼んだ。

どうか、勇ましく気高かったあの犬を、大切にしてください――。

✴

空腹で頭はふらふらだった。震える体で腹ばいになる。一瞬、白い光で目がくらんだ。そのとき、木立の先の谷間を走るフィアリーがみえた。その姿が消えていくのと同時に、空気が一段と冷たくなった。

あたりをみまわしても、群れも木々もみえない。積もった雪を、〈月の犬〉の光が銀色に染めている。ラッキーは驚いて立ちあがり、後ずさった。雪が足の下でざくざく音を立て、冷たい風が背中の毛に爪を立てる。振りむくと、そこには真っ白な平野が広がっていた。凍った川がヘビのようにのび、ちらちらと白く光っている。鼻面の毛が逆立ち、うなり声がもれた。凍った川の岸辺に、黒い染みのようなものが広がっていくのがみえたのだ。かなくさい血のにおいがする。

胸がむかむかした。凍った川面を血が流れてきて、岸の雪に染みこんでいる。耳がぴくっとした。なにかがいっせいに平野を走ってくる足音がきこえたのだ。こちらに向かっている。群れをなした犬たちだ。遠吠えをし、うなり、雪の上を突進してくる。なめらかな毛皮には、血が筋になってついていた。あの群れは、フィアースドッグ！

背後でかん高い吠え声がした。振りかえると、ベラとスイートとストームがいる。雪をけり、牙をむき出してフィアースドッグたちに向かっていく。すぐうしろにミッキーとマーサが続き、ブルーノとスナップとデイジーもあとを追った。ほかの犬たちはどこだろう？　アルファはどこだ？

フィアースドッグたちは、ラッキーがみえていないかのように、そばを走りすぎ、群れに向かっていった。隊列を組み、いかつい頭を低くしてうなる。口から、よだれが泡になって垂れている。〈野生の犬〉たちは、後ずさってぶつかり合った。数では完全に負けている。

「囲まれてる！」ベラが吠えた。「なんてたくさんいるの！」

ムーンは、おびえた子どもたちを守ろうと、その前に立った。「逃げましょう！」

ブルーノが、震えながら荒い息をつく。「むりだ！」

フィアースドッグの一匹が、目をらんらんと光らせてストームに突進し、雪の上につきとばした。ラッキーは、心臓をどきどきさせながら、助けようと駆けだした。そのとき、ごう音がきこえ、さっと上をみた。風が渦を巻いている！　雲から荒々しく吹きおろしてくる風が、渦をえがきながら、地上の雪を舞いあげる。風に背中をむち打たれ、ラッキーは地面に転がった。

「ベラ！　ストーム！」叫んでも、風が声をかき消していく。

ものすごい風だ。仲間のもとに駆けつけることができない。

走ろうとするたびに、渦を巻く風がぶつかってくる。目をこらしたラッキーはぞっとした。大勢の犬たちが吠えたて、取っ組み合い、牙をぎらつかせている。サンシャインは悲鳴をあげ、デイジーはおびえてしきりに鳴いている。ミッキーは、背を弓なりに曲げると、メースにとびかかった。だがメースは、牧羊犬の首をくわえて雪の上に投げとばした。ミッキーは白い足をばたつかせて頭をのけぞらせ、悲痛な声で遠吠えをした。

ラッキーは、恐怖で吐きそうだった。渦巻く風に突進しても、そのたびに、なす術なくはねとばされてしまう。そのとき、スイートの姿が目に入った。ブレードに立ち向かい、牙をむいている。フィアースドッグのアルファにくらべるとやせているが、すばやさでは勝っていた。二匹はもみ合いながら牙を鳴らしていたが、やがて、スイートがぱっととびすさった。ブレードが口を開けたまま突進すると、スイートはさっと身をかわし、フィアースドッグのわき腹にかみついた。反撃される前に体をひねって遠ざかる。ラッキーは、その戦いぶりに圧倒された。勇敢で、迷いがない。

ふと、ダガーという名の、毛のうすいフィアースドッグが目に入った。雪の小山を回りこみながら、スイートの背後に忍びよっている。

いくらスイートでも、二匹を相手にするのはむりだ——助けなきゃ！

ラッキーは全力で走った。それでも、白く渦巻く風にはかなわず、落ち葉のようにあっけなく宙にとばされた。一瞬、霧がかかったように視界がぼやけ、どさっと音を立てて背中から地面に転がる。体じゅうがずきずき痛み、息ができない。目をかたく閉じ、必死で空気を吸おうとあえぐ。

〈アルファの乱〉だ……はじまるんだ……もうすぐはじまる！

ラッキーは目を開けた。はじめのうちは、頭上で渦をえがく白い風しかみえなかった。つぎの瞬間、黒い影が視界に入ってきた——真っ黒なメス犬だ。ジドウシャのように大きく、目は雪のように白く、氷のように冷たい。その目に射すくめられ、ラッキーはぶるっと身ぶるいした。それでも、目をそらせない。

黒い犬が、巨大な牙をぎらつかせながら、耳をつんざくような声で遠吠えをする。空が裂けたのではないかと思うほどだった。また、かなくさい血のにおいがただよってくる。さっきよりもずっと強い。自分の血のにおいだ。

「ラッキー？　そこにいるの？」

とどろく遠吠えのあいまに、スイートの声がした。だが、姿はみえない。黒い犬の体がふくれあがっていく——大きな肩が空を隠している。太いしっぽが渦巻く風を払ったかと思うと、あとには暗闇だけが残った。

11 群れの未来

頭の上から、くぐもった声がいくつもきこえた。〈天空の犬〉だろうか……あの、射るような白い目をした巨大な犬を、だまらせようとしているのだろうか。

ラッキーは、混乱して目をしばたたかせた。ちがう、〈天空の犬〉じゃない。群れの犬たちだ。自分を囲んで、小さく吠(ほ)えている。

「気を失ったわ……」

「横に倒(たお)れて……」

「病気じゃないか……」

ラッキーは、ぎゅっと目を閉じた。頭ががんがん痛み、中でシャープクロウたちがけんかでもしているようだ。すっぱいものがこみあげてきて、顔をしかめてつばを飲んだ。

ふたたび目を開けると、アルファがすぐそこに立っていた。ようすをうかがうように頭を近づけ、少し首をかしげている。

ラッキーはふらつく頭でオオカミ犬をみた。落ちつけ――悪い夢をみただけだ。だが、どうして〈グレイト・ハウル〉の最中に眠りこんでしまったのだろう？

アルファが、険しい目でこちらをみている。ラッキーは無意識に、しっぽを腰に巻きつけていた。まばたきをして、不安そうな顔の仲間をみまわす。デイジーとミッキーは顔をみあわせ、ホワインは、とびだしそうなほど目を見開いている。ラッキーは鼻をなめた。どれくらい気を失っていたのだろう。悲鳴をあげてしまったのだろうか。恥ずかしくて、毛がちくちくする。

スイートが、頭を低くしたまま動こうとしないアルファのそばで、ラッキーの首に鼻を押しつけた。「少し休んで落ちついたほうがいいわ」

スイートのにおいをかぐと気持ちが安らぎ、頭の中のシャープクロウが静かになった。ラッキーはうなずき、立ちあがった。少しだけふらついたが、めまいはすぐにおさまった。ゆっくりと仲間のあいだを歩き、アルファの黄色い目を慎重に避けながら前をみる。静まりかえった群れをあとにして野営地を出ると、長い草をかき分けて木々のあいだをぬい、池に向かった。

水辺では、木の葉のそよぐ音だけがきこえた。月の光に照らされた水面をのぞくと、自分の姿が映っている。耳は垂れ、やつれた顔だ。くぼんだ黒いふたつの目が、水の上でゆれている。

アルファはよろこんでいるだろう。群れの前で、ラッキーがあんなに恥ずかしい姿をさらしたのだから。どうして幻なんかみたのだろう——あまりに強烈で、気を失ってしまうほどの幻を。あれはなんだったのだろう。空腹や疲れのせいだろうか。

池に背を向け、どさっと腹ばいになる。前足の上に鼻をあずけ、ゆっくりと深呼吸をする。

草の上を歩くやわらかい足音がきこえ、目をあげると、スイートがこちらにやってくるところだった。月明かりの中に、ほっそりとした姿が浮かびあがっている。ラッキーは、とっさに立ちあがった。とほうに暮れて弱った姿はみせたくない。だが、とたんにめまいに襲われ、倒れこむように腹ばいになった。

「だいじょうぶ？」おだやかな声だ。「なにがあったの？」

思いやりに満ちた優しい声をきくと、なにもかも打ち明けてしまいたくなった。ラッキーは、だんだん深くなっていく夕闇をみまわした。ここには自分たちしかいない。「幻をみたんだ」

スイートは、納得したようにうなずいた。「今夜がはじめてじゃないわよね。でも気を失ったことなんてなかったわ」

ラッキーはつばを飲んだ。ずっと、スイートにはほんとうのことを話してきた——実のきょうだいよりも信頼してきた。「今回はいつもとちがってた。もっとなまなましくて、現実のことみたいだった……」

スイートは、すぐそばにすわり、心配そうに首をかしげた。「悪夢みたい」

「悪夢よりひどかった。つらい記憶みたいな感じで――まだ起こっていないことの記憶みたいだった」

スイートは首を振り、しっぽで草を打った。「記憶？　まだ起こっていないことの？　ラッキー、そんなのありえないわ」ため息をつき、となりに並んで腹ばいになる。ラッキーは少し目をつぶった。わき腹にスイートの心地よいぬくもりが伝わってくる。いまでも、ホケンジョにいたころのスイートの姿は忘れていない。怖がりで、内気だった。だが、いまとなりにいるスイートは、たくましい。頼りないのはラッキーのほうだ。ほんとうは、鼻をなめて心を通わせたかったが、気後れしてできなかった。

「なんだか調子が悪いんだ」ラッキーは、草に鼻先をうずめて、つぶやくようにいった。「前は、ひとりでも平気だった。きみと出会ったときのぼくは〈孤独の犬〉だったんだから。〈群れの犬〉になるつもりなんかなかった」

「ええ、そうね」

ラッキーは、〈月の犬〉の銀色の光を浴びながら、スイートと目を合わせた。「そのあと状況が変わった。たぶんぼくは、群れにいられて幸運なんだと思う。だけど、群れに入るつもりはなかった……」

「それが自然だったのよ」スイートは、はげますようにいった。

「そうかもしれない。だけど、ぼくの中の〈孤独の犬〉は、まだとまどってる。自分がだれなのかわからない。考えるだけでぞっとするけど、群れの仲間がいなくて独りだったら、〈大地のうなり〉を生きのびられなかったかもしれない。むかしは、知恵に頼って生きていることがすごく誇りだったのに、いまはその知恵もあてにならないんだから。〈大地のうなり〉があってから、ほかの犬を頼るようになった。世界が変わって、そのころから幻をみるようになった。うれしいのはたしかだよ——群れがいてくれることも、群れの一員でいられることも。だけど、苦しみも増えた。ときどき、どうしたらいいのかわからなくなる。フィアースドッグの基地にいったときも、そうだった。ぼくとミッキーは、どうしてもストームたちを置きざりにできなかった。あの子たちを連れてきたから、いろいろとむずかしいことになったんだ」

「みんな、変わってしまった世界を生きてるのよ」スイートは、なだめるような声でいった。

「仲間がいなかったら、生きのびられなかった。わたしだって、あなたがいなかったら、ホケンジョから逃げだせなかったわ」

ラッキーは、うれしくてひげが震えた。

「これから、どうなるんだろう」思わず心細い声が出る。きまり悪くなり、しっぽでぱたんと地面をたたく。「怖くなるよ」

スイートの鼻が、呼吸に合わせて震えている。ラッキーは、自分がなぜこんな話をしているのかわからなかった。勇敢で落ちついた姿だけをみてもらいたいのに。

目を合わせたまま、声を低くして続ける。「スイート、フィアリーはアルファに戦いを挑むつもりだったのに、黄色いニンゲンにつかまってしまった。ほんとうなら、二匹は群れのリーダーの座をめぐって戦っていたはずなんだ。フィアリーはいいアルファになったと思う。堂々と意見をいってたし、冒険心もあった。群れのみんなも、フィアリーのことが好きだった……公平な犬だったから」

スイートは音を立てて鼻をなめ、落ちつかなそうにまばたきをした。「こんな話、しちゃだめよ」

ラッキーは、さらに声を低くした。「だけど、ほんとうのことだ。アルファは強いリーダーだけど、ぼくたちが争うように仕向けてる。仲間同士で順位をつけるなんて、残酷だよ。オメガや地位の低い犬たちは、ほとんど獲物の分け前にあずかれない。サンシャインは飢え死にしそうになってる。ぼくたちは仲間なんだ。おたがいに思いやらなきゃ」

スイートはため息をついた。「気持ちはわかるけど、そういうものなのよ。野生の群れには掟があるんだし、フィアリーがリーダーになったって同じだったはずよ。どの犬にも役割がある。そのおかげで、守られているって安心できるんだから」

ラッキーは目を見開いた。「だけど、実際はちがう。ほんとうに、地位の低い犬たちが安心してると思ってるかい？　ほかの犬のきげんを損ねないようにびくびくしてるし、いつだって腹を空かせてる。サンシャインのことが心配なんだ。あんなにやせてしまって。地位の高い犬たちだって、アルファを怒らせないように緊張してる。どの犬にも役割があるなら、どの犬も報われるべきだろう？　どうして、もっと平等にできないんだ？」いつのまにか頭痛はおさまり、活気がわいてきた。こんなにはつらつとした気分になったのは、いつぶりだろう。冷たい空気の中で毛が波打ち、興奮でひげがぴりぴりする。「きみなら、きっと全員を大切にしてくれる……アルファを打ちまかすことができれば」

スイートは、はっと息をのんだ。急いであたりの暗がりをみまわす。「わたし？」

「きみならできる。その力がある。アルファを倒すことができる。いいや、群れを率いていける。きみなら、みんなも信頼する」

スイートはだまっていたが、暗闇の中でも、しっぽが地面をたたいているのがみえる。月の光を浴びて、目がきらきらかがやいていた。ふいに、スイートは頭をラッキーの首に押しつけ、目を閉じた。

しあわせで心臓がどきどきする。ラッキーは、スイートの温かく甘いにおいを吸いこんだ。

少しすると、スイートは立ちあがって、伸びをした。「そろそろもどりましょう。もうだいじょうぶ？」

ラッキーは、元気になった体で立ちあがった。一瞬、二匹は月明かりにかがやく池のふちに並んで立ち、水面に映った自分たちの姿をながめた。さっきとはちがって、目をそらしたい気分にはならない。

ラッキーはスイートのあとについて、長い草をかき分けていった。木立にたどりつくと、最後にもう一度だけ振りかえり、池をながめた。水面がちらちら光っている。スイートのほうに向きなおったとき、木々のあいだを動く生き物の影がみえた。一瞬、長い耳と、灰色の毛がみえたような気がした。アルファだろうか？　自分たちを見張っていたのだろうか？　たとえみられていたとしても、話の内容までは聞き取れなかったはずだ。ずっと声を殺して話していた。だがラッキーは、スイートについて野営地にもどりながら、異様に鋭いアルファの聴覚のことが気になって仕方がなかった。うなじの毛が逆立ってくる。オオカミ犬は、ふつうの犬より耳がいいのかもしれない。

翌朝目を覚ましたラッキーは、ねているあいだにみた夢を覚えていなかった。ひと晩で二度も幻をみずにすんだことがありがたい。〈氷の風〉の冷たく澄んだ光の中で伸びをし、寝返りを打って立ちあがる。仲間のほとんどは、すでに起きていた。マーサとミッキー、ベラとストームの姿がみえる。スナップはブルーノといっしょに、狩りに出かける準備をしていた。ムーンは、いやがるビートルとソーンを押さえつけて、耳をなめてやっている。

木々のあいだの空き地に目をやると、スイートの姿がみえた。うれしくなって、しっぽが勝手にゆれる。向かいにいるダートとスプリングは、こわばった顔だ。

三匹のほうに近づいていくと、スプリングの話し声が途中からきこえてきた。

「……ラッキーがいってたでしょ、あいつらはすぐそこの町にいるの。二日もあればここまでこられる。ううん、もっと早いかも……」

スイートは、きっぱりといった。「自分たちの身くらい自分たちで守れるわ」

「どうやって？」ダートが不安そうに鳴く。「ここには、さえぎるものがないもの。ブレードたちが不意打ちをしてくるかもしれない。風が狂犬みたいに暴れてるから、敵のにおいとか足音に気づけないかもしれないでしょ？」不安そうに耳を垂れて話していたダートは、近づいてくるラッキーに目をとめ、大きな声で話しかけてきた。「そう思わない？　フィアースドッグたちが襲ってくるかもしれないわ！」群れの犬たちがその声をききつけ、近づいてくる。アルファも、二本の木のあいだに姿を現し、こちらに歩いてくる。だが、途中で足を止め、頭を低くして犬たちを見張りはじめた。

ダートは、さらに声を荒げた。「ブレードを覚えてるでしょ？　敵の頭を食いちぎりそうなくらいどう猛だった！」

群れの犬たちが、不安にかられて吠えはじめる。

「騒ぐな！」アルファが遠吠えをした。

犬たちはとびあがり、ぱっとオオカミ犬を振りかえった。アルファがしっぽをこわばらせ、犬たちのあいだを大またで歩きはじめる。ラッキーは、落ちつかない気分で鼻をなめた。アルファが、太い鼻面をつんと上げる。「臆病者のおまえたちに代わってはっきりと意見をいうのは、群れを率いるわたしの役目だ」黄色い目で群れをみまわすと、犬たちは目が合うのを恐れてうつむいた。「ダートとスプリングの不安はむりもない」

群れのあいだからざわめきが起こった。ムーンがうしろに下がり、ビートルとソーンをそばに引きよせる。

オオカミ犬は続けた。「このことは、わたしもよく考えてみた。いまのわたしたちは、きわめて危険な状態にある。不意打ちをされるせいではない。野営地のせいでもない。風のせいでもない――リックのせいだ」

ラッキーはくちびるを引きつらせ、あやういところでうなり声をがまんした。視線を感じてスイートをみると、警告するような目でこちらをみている。たしかに、群れの前でアルファに食ってかかれば、状況はいっそう悪くなる。

だが、だれかが止めるより早く、ストームがとびだしてきた。

「あたしの名前はリックじゃない！　みんなは新しい名前を認めてくれたのに！」

ミッキーが、気まずそうにスナップをちらっとみた。アルファの黄色い目が険しくなる。ストームには目もくれず、群れの犬たちのほうを向く。幼いフィアースドッグとはちがって、オオカミ犬の声は落ちつきはらっていた。「みたか？　こいつは、こんなにも攻撃的で怒りっぽい」肩をそびやかして子犬に近づき、その前に立ちはだかる。「これほど気性が荒くては、争いをまねくのも当然だ。こいつさえいなければ、フィアースドッグがわたしたちに目をつけることもなかった。あいつらは、リックは自分たちの犬だと主張している。群れに奪いかえすまであきらめないつもりだ」アルファはすわり、オオカミのような鼻を下に向けてあごを引いた。「このフィアースドッグを群れに置いているうちは、われわれに平穏など訪れない。いつまで、びくびくしながら暮らすつもりだ？」ダートとスプリングを振りかえる。「恐怖と縁のない生活を送りたくないのか？」冷たい目でムーンをみる。ムーンは、心配そうに鳴きながら、ビートルの耳をなめていた。

ラッキーは、砂を飲みくだしたような気分になっていた。のどがざらつき、からからに乾いている。だが、声をあげなくては。自分がだまっていれば、ストームが言い返してしまう——そうなれば、取りかえしがつかない。

「そこまで敵の攻撃を心配されるなら、群れの安全を守ることを、第一に考えましょう」ラッキーは、群れのむこうの緑の谷間と、さらにむこうの崖に目をやった。「ここはいい野営地ですが、不安な点もいくつかあります——まずは獲物をしっかり食べて、力をたくわえなくては。そのあと、パトロール犬は崖のふちをみてまわって、水辺や洞くつのトンネルを見張るんです。残りの犬たちも、池のあたりをパトロールして、敵がうしろから攻めてきたときにそなえましょう」

「いい考えだわ」だまってきいていたベラがうなずいた。

「数ならこっちだって負けていないもの」スナップもいった。「パトロール隊を作るのはむずかしくないわ」ラッキーは、仲間が誇らしくなった。危険が迫ってもすぐに頭を切りかえて、身を守る方法を考えはじめている。

アルファは群れの犬たちをにらみつけた。「だれがアルファか忘れたのか？」そういうなり、くるっと振りかえり、前足でラッキーをつきとばした。ラッキーは、息をのんで地面に転がった。「街の犬ごときに、パトロールのやり方を決める権利はない！　おまえになにがわかる？　知ったふうな口をきくな。どうせまた、お得意のうそだろう。ほんとうは、群れの安全なんか気にもしていない。こいつの頭にあるのは、ちびのケダモノのことだけだからな。大事なのは、自分で訓練したフィアースドッグだけなのだ！」

ストームが、体を低くかまえてうなり出した。

ラッキーは毛を逆立て、のしかかってくるアルファの下からはい出した。反撃はしない――そんなことをすれば殺されてしまう。だまって立ちあがり、体を振った。

アルファが群れをにらみわたす。

「狩りの用意をしろ。今日は全員で獲物をつかまえにいく！」

「パトロール犬もですか？」ダートがおそるおそるたずねた。

アルファは、がっしりした前足を草地に振りおろした。「全員といっただろう！　パトロール犬も、子犬も……オメガもだ」そういうと、肩を怒らせてミッキーとマーサを押しのけ、大またで去っていった。

サンシャインはそのうしろ姿を見送りながら、心配そうに首をかしげた。「狩りをしたのなんて、〈囚われの犬〉だけで群れを作ってたときが最後なのに」

ラッキーは、ストームのそばに急いだ。子犬はわき腹を波打たたせている。落ちつかせようと、鼻先で首をなでた。全身から怒りがにじみ出ているようだ。

「アルファのいうことなんか気にするな。ここにいていいんだから」

「アルファなんてどうでもいい！」ストームは、食いしばった歯のあいだから、うなり声を出した。「あっちこそ、あんまりあたしをいじめないほうがいいわ。もう、バカな赤ん坊じゃないんだから――戦いを挑めるくらい大きいのよ。アルファの地位なんかいらないけど、あの灰色の体にかみついてやりたい。のどを食いちぎって、二度といやみをいえないようにしてやりたい！」

ラッキーは、子犬の勢いにのまれた。怒りでわれを忘れている。だが、いっていることは正しい。もう、赤ん坊じゃない。アルファが嫌がらせを続ければ、争いは避けられない。

そして、もし争いになれば、きっとどちらかが命を落とす。

アルファには、なにかもくろみがある。ストームを挑発することで、群れにもめごとを起こそうとしている。そして、内輪もめをしている群れは、どんな敵にも勝てない。

12 正式な儀式

狩りに出発するころ、崖の上には雲が垂れこめはじめていた。アルファが先頭をいき、ラッキーは列のうしろのほうに下がって、スイートやスナップが足早にオオカミ犬のあとを追う姿をながめていた。空っぽのお腹がぐうぐう音を立てている。ほかの犬たちもおなじはずだ。ベラだけは元気にふるまっていた。うしろから追いついてきて、ラッキーに鼻をこすりつける。

ラッキーは、ベラを先にいかせた。うしろの方の犬たちのつらそうな歩き方が気になって、目をはなしたくなかった。ホワインは荒い息をつきながら、短く太い足を必死に動かしている。同じくらい小柄なサンシャインは、もつれた長い毛にも苦心していた。走ると、毛に土や小枝がからまってしまう。ラッキーは、マルチーズと歩調を合わせ、やわらかい耳を軽くなめてはげました。

曲がりくねった道をたどるうちに、やがて、野営地の反対側に出た。草はまばらになり、木は一本も生えていない。足元の地面は少しずつ、土よりも、黄色くきめの粗い砂のほうが多くなってきた。砂地がとぎれてしばらく岩場が続いたかと思うと、その先は白い崖になっていた。群れは崖を回りこみ、〈果てしない湖〉の広々とした岸辺におりていった。

サンシャインが、砂に足を取られて転がった。「ここ、すごく歩きづらい！」あわれっぽい声で悲鳴をあげる。「地面に体が沈んじゃいそう」

少し先では、スプリングも地面をにらんでいた。「ほんとね」

そのとなりでは、ダートが足を止めて白い崖をみあげている。「崖の上の岩なら、足は痛いかもしれないけど、ずっと歩きやすそうね」

ラッキーは、ゆっくりと二匹に近づいた。こんなに大騒ぎしながらのろのろ進んでいて、獲物がつかまるわけがない。

ベラは、仲間の不満をききつけたのか、しっぽを勢いよくゆらしながら振りかえった。

「そのうち慣れるわよ。水辺で走るのって気持ちいいんだから」

ダートはうめいた。「こんなにやわらかい地面の上で、どうやって走れっていうの？　絶対むり。転ぶのがおちよ。こんなんじゃ、獲物なんてつかまらないわ」

砂地でも、ふつうの地面でも、ダートが獲物をつかまえるのはむずかしそうだ。パトロール犬の一員で、狩りには慣れていない。ラッキーはそう考えたが、だまっていた。

「簡単よ！」ベラはひと声吠え、いっそう激しくしっぽを振った。さっそく、見本をみせる。足を腹につけるように高くあげ、砂の上をはねるように走っていく——軽くジャンプするような走り方だ。なんとなくこっけいな走り方だが、ほかの犬たちは足を止め、首をかしげて、見入っている。

ダートは、垂れた耳をぴくっと立てて姿勢を正し、ベラの変わった走り方をまねしはじめた。スプリングもあとに続く。すぐに、ミッキーとデイジー、年かさのブルーノまでもが、ベラをけんめいにまねて、砂の上を走りはじめた。その姿をみていると、ラッキーは元気になってきた。はねるような進み方は少しこっけいでも、挑戦してみようとする姿勢はりっぱだ。ストームまでいっしょになって、軽くはねるような走り方をせいいっぱい学ぼうとしている。はねるたびに、耳がぱたぱたゆれる。

「なんだそのザマは！」アルファが振りかえり、ベラたちをにらみつけた。はねる練習をしていた犬たちは、驚いてバランスを崩し、砂の上に転がった。オオカミ犬が、灰色の体をぶるっと振る。「妙な走り方をするな！」冷ややかな黄色い目を、ぴたりとストームにすえて吐きすてる。「犬は歩くものだ——おろかしくはねまわるんじゃない！」

群れは、ベラの教えてくれた進み方をしぶしぶやめて、アルファのうしろで一列に並んだ。足が沈むやわらかい砂の上を、苦労して歩いていく。しめった岸には〈果てしない湖〉の波が打ちよせ、砂をさらいながら、白い泡を立てておうぎ形に広がっている。あたりには、塩の濃いにおいが立ちこめていた。口の中に塩の味を感じるほどだ。

ラッキーは半信半疑でオオカミ犬のうしろ姿をみていた。こんなところで、どうやって獲物をみつけるつもりだろう。こんなに塩のにおいが強いのに、獲物のにおいに気づけるだろうか。

冷たい風が強くなると、雲が集まって重く垂れこめ、空が、少しずつ暗くなりはじめた。しめった毛皮のような雲が、〈太陽の犬〉の光をさえぎっている。雨になるのだろうか。

ラッキーは足を止め、鼻の穴をふくらませた。雨のにおいを探そうとしても、湖から吹きつけてくる風が、ありとあらゆるにおいを隠してしまう。

スイートは、先頭でアルファのとなりを歩いていたが、話し声はきこえてきた。「〈天空の犬〉が集まっています。雨宿りする場所をみつけましょう」

そのとおりだった。ラッキーは、どこまでも続く砂の岸辺や、崖のふもとの岩場に目をこらした。雨が降りはじめれば、屋根が必要になる。と思った瞬間、さっそく鼻の上に冷たい雨粒が落ちてきた。

「岩の下で雨がやむのを待つとしよう」オオカミ犬はスイートにそういうと、崖から低く張りだした白い岩の下へと急いだ。その瞬間、雲が体を振り、ぶあつい毛皮から雨粒を散らしはじめた。犬たちはアルファのあとを追い、きゅうくつな岩の下にもぐりこんだ。全員がやっと入れるくらいの広さしかない。ラッキーは、ストームとミッキーとマーサのあいだで小さくなっていた。急いで仲間をみまわし、数をかぞえる。全員そろっているが、居心地が悪そうだ。入り口の近くにいるサンシャインをみると、うしろ足がぬれていた。

ラッキーは、群れに声をかけた。「少しつめて、サンシャインを中に入れてやってくれ」

犬たちは、押しあいながら場所を空けた。となりのミッキーは震えている。

そのとき、雨がかからない一番安全な場所から、アルファが厳しい声でいった。「〈街の犬〉、おまえに指示を出す権利はない！　オメガはそこにいればいい」

サンシャインはびくっと身をすくませ、うなだれた。

ラッキーはくちびるを震わせたが、怒りを抑えた。なにも悪くないサンシャインが、気の毒だった。アルファはただ、ぼくにいやがらせをしたいだけなのだ。

小さなオメガはなにもいわず、ため息をついて、地面に体を投げだすように腹ばいになった。そして、強くなっていく雨を、大きな黒い目でみあげた。

ラッキーは、そんなサンシャインをみているのがつらくなり、〈果てしない湖〉のほうに視線をそらした。滝のような灰色の雨が砂を打ち、白い波に溶けこんでいく。

こんなのはおかしい。サンシャインは、ぼくたちと同じ群れの一員だ。こんなあつかいを受けるなんて——ふと横をみると、スイートと目が合った。その目には、さびしさと、そして不満がのぞいているような気がした。スイートも納得していないんだ。アルファは弱い者いじめをしている。公平じゃない。もっとべつのやり方があるはずだ。

べつのやり方——それがなにか、ラッキーには、はっきりわかっている。もしかすると、スイートにも。


ようやく雨音が静まってきたころには、すでに長い時間がたっていた。空腹でむかむかする胃をかかえて鼻をあげ、仲間の頭ごしに外をのぞく。雲間から〈太陽の犬〉が顔をのぞかせていた。

犬たちは立ちあがり、岩をくぐって外に出ると、思い思いに伸びをした。空気は新鮮(しんせん)で冷たく、雨が降る前よりも塩のにおいがうすまっている。

アルファは群れのあいだを歩きながら、しめった空気のにおいをかいでひげを震(ふる)わせた。

「今日はもどって、明日また出直すとしよう」

　ムーンが青い目を見開き、心配そうに声をあげた。「出直す？　獲物(えもの)を一匹(ぴき)もつかまえていないのに？」足元でじゃれ合っているビートルとソーンに目をやる。「でも、みんなお腹を空かせています」

　デイジーは、白と褐色(かっしょく)の前足をかんでいたが、それをきいて両耳をぴくっと立てた。「そのとおりです！」かん高い声で吠(ほ)え、大きく深呼吸をして前に進みでる。そして、アルファに向かって話しはじめた。「あたしに口を出す権利はありません……でも……いま平気な犬は、いつも分け前をちゃんともらってるんだと思います。そうじゃない犬はおなかがぺこぺこで……ホワインとサンシャインは弱っているし、ほかの犬たちだって早く食べ物をみつけないと弱ってしまうと思うんです」

　ホワインが頼(たよ)りない鳴き声をあげた。ラッキーは、自分がオメガだったころにいじめられたことも忘れて、しわくちゃな顔の犬をかわいそうに思った。ホワインは、森にいたときとも、以前の野営地にいたときとも変わっていた。あまってひだになった皮がだらしなく垂れ、毛は薄汚(うすよご)れてくすんでいる。顔には目やにがこびりつき、鼻をぐずぐずいわせている。ほかの犬たちとは少し距離(きょり)をおき、すべてをあきらめたような表情で、ぬれた砂を前足でぼんやりとたたいている。

アルファは牙をむいてデイジーに一歩つめよると、小さなテリアをみおろした。「体力をたくわえておくのは、アルファの務めのひとつだ」吐きすてるようにいう。「群れのために！」

デイジーはひるんだが、足を踏んばって、引きさがろうとしない。群れのあいだから、同情するような声がいくつかあがる。

「空腹なのはみんな同じです」マーサがおだやかにいった。「食糧が足りていないんですから」

ベラも、金色の毛におおわれた首をたてに振った。「お腹が空いたままだったら、野営地を守るなんてできない。わたしたちは、町にいるフィアースドッグをこの目でみたの。敵はすぐそこよ——一日もあれば攻めこんでこられる。力をたくわえておかなくちゃ、ここでやっていくことなんてむりよ！」

賛成するような鳴き声や吠え声がいっせいにあがり、アルファは目をぎらつかせて、振りかえった。頭を低くし、脅すようにベラにつめよる。ベラはあわてて後ずさった。「そんなことは百も承知だ。おまえたちがもっと賢ければ、いまごろ獲物を野営地に持ちかえっていただろう。だが、自分のしっぽさえ満足につかまえられん。きゃんきゃん騒いで、そのへんのウサギを残らず逃がしてしまった」オオカミのような太い尾を立て、犬たちのあいだをぬうように歩く。やがて足を止め、話はこれで終わりだといいたげに、前足で地面を打った。「これから、わたしの選んだ猟犬は崖にいき、獲物をみつけてくるように。残りの者たちは野営地にもどる」晴れてきた空をまぶしそうにみあげる。「えらそうに不平をこぼすわりに、雨のせいで獲物が隠れていたことには気づかなかったようだな。もう、雨はやんだ。獲物が外に出てくるはずだ」

ラッキーは、むっとしてしっぽをこわばらせた。獲物の少ない土地にきた自分のミスはごまかすつもりだ。それに、ベラの指摘を無視している。フィアースドッグは、すぐそこにいるのに……。

アルファは頭を低くし、群れをにらんだ。「ラッキー、スナップとミッキーを連れて狩りにいけ。獲物と――それとはべつに、白いウサギを一羽取ってこい。残りの者は体を休ませ、体力を取りもどしておけ。長い旅にそなえておくんだ」

ラッキーは首をかしげてたずねた。「どうして白いウサギを？」もちろん、答えはわかっている……ストームのためだ。〈名付けの儀式〉をすませたことを、どうしても認めないつもりらしい。そう考えると腹立たしかったが、これでストームは、堂々と新しい名を名乗ることができる。ラッキーは、はげますように子犬にうなずきかけた。それに、アルファは、いまの野営地を離れるつもりらしい。犬たちの不安を真剣に考えているということだ。

「ゆうべ、夢が教えてくれたのだ」アルファは、黄色い目をぶきみに光らせていった。「この先、われわれがリックに悩まされずにすむ方法を」

ストームは、むかしの名前を呼ばれて顔をしかめた。アルファはかまわず話しつづける。

「ほんものの〈名付けの儀式〉をすればいいのだ。群れのアルファの監督のもとで。それが本来のやり方なのだから」

「でも、名前ならあるのに」ストームが声をあげた。

アルファは鼻を鳴らして取りあわない。崖に背を向け、野営地にもどる道を歩きはじめる。

ストームはうなじの毛を逆立て、くちびるをめくりあげた。ラッキーはあわててそばに駆けよりながら、一瞬、〈グレイト・ハウル〉のときにみた幻を思いだした。宙を舞いちる雪や、取っ組み合う犬たちの姿が頭をよぎる。ぞくっとして、心臓の鼓動が速くなった。いまストームがアルファにたてつけば、きっと恐ろしいことが起こる。

「考えてごらん。これはいいことだよ」ラッキーは、小声でいった。

「いいこと？　どこが？」ストームは、アルファのうしろ姿をにらみながら、鋭い声を出した。

「アルファがきみを群れの一員として認めるってことだし、これでいやがらせも終わるかもしれない。群れのみんなが参加する〈名付けの儀式(ぎしき)〉で、新しい名前を発表できるんだ。いいことだよ」

「そうかもね」ストームはいったが、オオカミ犬から目をそらそうとはしない。「でも、アルファのいうことなんて信じられない。アルファは、〝いいこと〟なんてしない。絶対、思い知らせてやる」ストームはピンク色の舌で牙(きば)をなめた。口のはしに泡(あわ)がたまっている。

「ラッキー、もういけるかい？」ミッキーがしっぽを振(ふ)りながら声をかけてきた。

ラッキーは、牧羊犬とスナップのあとを追い、狩(か)りに出発した。だが、泡(あわ)を飛ばしてうなっていたストームの姿や、激しい怒(いか)りのこもった声は、いつまでも頭のすみにこびりついていた。

ごつごつした岩の斜面(しゃめん)を苦労してのぼっているうちに、痛めた前足がふたたびうずきはじめた。スナップとミッキーは先をいっている。ぬれた岩の上で足がすべり、体をまっすぐに起こしておくのもむずかしい。危険な場所には近づかないようにして、切りたった崖(がけ)や、そのふもとの砂地や、しぶきを上げながらたえまなく打ちよせる〈果てしない湖〉のことは考えないようにした。スナップとミッキーが大きな岩の影(かげ)に駆(か)けこんだときには、ほっと息をついた。

三匹(びき)は息をつめてうずくまり、鼻を震(ふる)わせながら耳をすました。ラッキーは、しめった風の中から、獲物のにおいをとらえようとした。アルファのいったとおり、雨を避けていた獲物たちが、隠れていたところから出てきている。あたたかくて油っぽい、おいしそうなにおいがかすかにただよってくる。だが、においの主はずっと遠くにいるらしい。とても追いつけない。スナップが、そわそわと足を踏みかえた。「ウサギなんかいるのかしら――巣穴を作る場所もないのに」

　そのとおりかもしれない。ラッキーはふと、アルファはストームの儀式を利用して適当なうそをつき、ストームやほかの犬の気持ちをもてあそんだのだろうか、と考えた。あのオオカミ犬ならやりかねない。

　スナップがはっと顔をあげ、興奮して鼻をひくひくさせた。なにかかぎつけたらしい。ラッキーもにおいをかいだ。すぐそこに獲物がいる！

「あわてるな」ミッキーが釘をさす。

　スナップがうなずくのをみて、ラッキーはほっとした。この白と褐色の雑種犬は、あせって獲物を追うくせがある――今回も、やみくもに岩陰からとびだしていくのではないかと、心配だった。ここがただの平地なら、獲物をつかまえそこねても大したことはない――勢いあまって転んだとしても、立ちあがればいい。だが、ここで転べば、岩の壁に頭からつっこんでしまう。運が悪ければ、崖から落ちてしまうかもしれない。
獲物のにおいが強くなっている。三匹は、気づかれないように岩の陰で身をひそめていた。空っぽの腹がぐうぐう鳴り、ラッキーは口のまわりをなめた。

先頭をいくスナップは、ゆっくりと岩を回りこんだ。ラッキーとミッキーを振りかえり、目配せする。〝合図を出すまで待って〟という意味だ。ぴたりと立ちどまり、片方の前足を宙に浮かせている。やがて、「いまよ！」と吠えるなり、岩のむこうにとびだした。ミッキーが岩の真ん中をとびこえ、ラッキーは、スナップとは反対側から岩を回りこむ。まさにその瞬間、スナップが両方の前足で、大きな白い鳥を押さえこんだ。鳥はギャアギャア鳴き、必死でもがいている。片方の翼は激しくはばたいているが、もういっぽうは、弱々しくゆれるだけだった。

翼をケガしているらしい。飛んで逃げなかったのは、そのせいだったのだ。

ミッキーが両方の前足で鳥を押さえこむと、スナップは前足をはなして首をくわえた。激しくひと振りすると、鳥は息絶えた。

ラッキーは、感謝をこめて鳥のにおいをかいだ。丸々太っていて、群れの全員がたっぷりひと口食べられるだけの大きさがある。舌なめずりをしながら獲物をくわえようとした瞬間、はねるように走る白い影が目のはしに映った。

――ウサギだ！

ラッキーは動けなくなった。白いウサギだが、茶色いまだらがある……儀式に必要なのは、真っ白な毛皮だ。だが、食糧になることはまちがいない。ラッキーはだっと駆けだし、ごつごつした岩のあいだをぬいながら獲物を追った。おびえたウサギがジグザグに走って逃げていく。一瞬、その姿がみえなくなった。ラッキーは、ぴたっと足を止め、空気のにおいをかいだ。近い。すぐそこだ――慎重に、一歩だけ前に出る。すると、大きな岩の陰で震えているウサギがみえた。すばやくとびかかる。その瞬間、さらに高い崖の上に、一匹の犬のシルエットがみえた。がっしりした体つきで、耳がとがっている。ラッキーは、きいきい鳴くウサギにのしかかると、もう一度崖の上をみた。だが、すでに犬の姿は消えていた。

いやな予感に心臓をつかまれる。フィアースドッグに、あとをつけられているのだろうか。ミッキーたちに話すべきか迷ったが、自分の胸におさめておくことにした。みまちがいだった可能性もある……いたずらに怖がらせたくはない。アルファは、野営地を変えようとしているし、そうすれば、フィアースドッグとも離れられるのだ。

〈太陽の犬〉が水平線の近くにおりてきたころ、ラッキーとミッキーとスナップは野営地に帰りついた。アルファは、ラッキーが足元に置いたまだらのウサギをちらっとみて、不満そうな顔をした。

「崖にはこのウサギしかいなかったんです」ラッキーは説明した。のどがからからで全身が痛み、いますぐ横になって休みたい。

「お腹は真っ白よ」スイートがとりなすようにいいながら、アルファのとなりに並んだ。

アルファは、くたっとしたウサギの体をにらみ、前足でつついた。「いいだろう。これで十分かもしれん――フィアースドッグだからな」

ラッキーは顔をこわばらせた。群れの犬たちが近くに集まりはじめ、ベラとブルーノはこちらの話し声がきこえる距離にいる。運よく、ストームは近くにいなかった。アルファの言葉をきけば、また腹を立てていただろう。

ミッキーがヤマネズミを一匹つかまえていたので、白い鳥とあわせれば、食糧は群れの全員に行きわたるだけの量があった。まずはミッキーが獲物を小さくかみきって分け、うしろに下がった。アルファが一番おいしそうな部分を選んで食べ、つぎに、スイートが自分の分けまえを取る。そのあとは、残りの犬たちが地位の高い者から順に食べていった。

ビートルがため息まじりにいう。「この鳥、おいしい！」

「また食べたい！」ソーンもうなずいた。

ラッキーは、どうしても、気分が晴れなかった。ごつごつした崖の上に一瞬みえた、耳のとがった犬の姿が忘れられない。気のせいだと思いこもうとしたが、もうひとつの可能性が頭の片すみから離れない――フィアースドッグは、この野営地を知っているのかもしれない。

強い風が谷間を吹いていく。〈太陽の犬〉は、かがやく光の尾を引きずりながら、水平線のむこうのあたたかな寝床に引きあげようとしている。アルファは、肩をそびやかして群れの真ん中に進みでると、ビートルとソーンに冷ややかな目を向けた。

「いくら味がよかろうと、余計に腹がふくれるわけでもない」

子どもたちはだまりこみ、ほかの犬たちは表情をこわばらせた。アルファの声が、冷たい空気に響きわたる。「この程度の獲物しかみつからないのなら、寝床があろうと水があろうと、この野営地にとどまる意味はない」ラッキーとミッキーとスナップをにらみつける。

ラッキーは、かっとなって体に力をこめ、思わずうなじの毛を逆立てた。必死で気持ちを落ちつかせる。よくも、獲物が少ないだなんて文句がいえるな――そういう自分は、パトロールくらいしたのか？　どうせ昼寝でもしてたんだろう？

オオカミ犬は、横柄に足を開いてすわった。「フィアースドッグは、すぐそこの町にいる。日の出とともに出発するぞ」

いっせいに鳴き声があがった。

「また？」デイジーが小声でいう。

ホワインはつぶれた鼻をなめ、サンシャインはきゅうきゅう鳴いた。

「残りたい者は勝手に残って、ここでフィアースドッグを待つがいい」アルファは吐きすてるようにいった。

ラッキーはうんざりしたが、オオカミ犬のいうことはもっともだった。ここは、フィアースドッグに近すぎる。危険だ。

とうとう、〈太陽の犬〉の光が水平線のむこうに消えると、犬たちはストームの〈名付けの儀式〉がはじまるのを待った。小さなフィアースドッグは、しっぽを振りながら、前足でしきりに草を引っかき、暗くなっていく空をみあげている。ラッキーも空をみた。だが、〈月の犬〉が現れると、がっかりしてしっぽを垂れた——半分は、あつい雲に隠れている。一度目の儀式の夜も完ぺきな丸ではなかったが、あのときは、だれも気にしていなかった。だが、今夜はちがう。アルファは、〝正式〟に儀式をやるといっていた。オオカミ犬が儀式を延期すると言い出さないか、不安になってくる。ところが、意外にもアルファは立ちあがり、スナップとミッキーに命令した。

「ウサギをここへ」

二匹はウサギを運び、ほかの犬たちもその近くに集まった。ストームはしっぽを振るのをやめて、真剣な顔つきになった。そわそわしながら口のまわりをなめている。

「押さえておけ」アルファがいった。

スナップとミッキーは、いけにえの頭とうしろ足をそれぞれ押さえた。アルファがかがみこみ、片方の牙でウサギののどを切りさく。灰色の頭を軽く振りながら、手ぎわよく皮をはいでいく。

この季節は、獲物がとぼしい。スイートに話せば、いけにえの肉を群れのために取っておくよう、アルファに頼んでくれるだろうか。ならわしどおりに埋めてしまうのはもったいない。ラッキーが直接話をしても、アルファは聞く耳を持たないだろう。

オオカミ犬は、皮をはいだウサギのにおいをかぎ、スナップに命じた。「わたしの寝床に運んでおけ」スナップは、言われるがままにウサギをくわえ、寝床に歩いていった。

ラッキーは、怒りで毛が逆立った。アルファは、ウサギの肉をひとり占めするつもりなのだ。

オオカミ犬は、茶色のぶちがある毛皮を、〈月の犬〉の弱い光のもとでくわえあげた。草地には平らな岩がない。そこでアルファは、草の生えていない砂まじりの土の上に毛皮を落とした。だらりと広がった毛皮は、砂にまみれ、ところどころにしわが寄っている。毛の白い部分には、土のかたまりがこびりついていた。

これのどこが、正式なのだろう。ラッキーは、ビートルとソーンの〈名付けの儀式〉にただよっていた、おごそかな空気を思いだした。あのときは、〈月の犬〉が明るくかがやき、月明かりに照らされたウサギの毛皮は、まるで雪のように真っ白だった。

だが、アルファは気にもしていないらしい。ストームに向かってぞんざいにうなずく。

「リック、ウサギの毛皮の上にのれ」

ラッキーは、息をつめてみまもった。幼いフィアースドッグは、アルファの見下した態度や、黄色い目に浮かべたあざけるような表情に反発しないだろうか。だが、堂々と毛皮に向かって歩いていく姿をみて、ラッキーは誇らしくなった。ストームが、そっと毛皮に足をのせる。このあたりにいるウサギは、森のウサギとはちがってやせていた。すっかり成長したストームは、体の半分ほどが毛皮の上からはみ出している。

「〈月の犬〉をみて、名前を選べ」アルファは、子犬のほうをみもしないでいった。

ストームが、とまどったような鳴き声をあげる。

「でも……でも、あたし、名前ならもう……」

「さっさとしろ！」オオカミ犬は、いらだたしげにうなった。

ラッキーは顔をしかめた。ひどい儀式だ。ビートルとソーンのときの神秘的な夜とは、似ても似つかない。

ストームは、落ちこんだ表情をみせないように、せいいっぱいがんばっていた。口をなめ、〈月の犬〉をみあげる。あわく光る月は、はじめと同じように、不気味な雲に隠れていた。

口を開いたストームは、落ちついた声ではっきりといった。「あたしの名前は、ストーム」

アルファがさっと顔色を変え、前足を地面に振りおろした。「その名前は許さん！　にせものの〈名付けの儀式〉で選んだ名前だ。二度と使うな」

ラッキーは体をこわばらせ、うなり声をがまんして歯を食いしばった。やり過ぎだ。アルファには、一度目の〈名付けの儀式〉に文句をつける権利なんかない。今夜の儀式だって、〈月の犬〉はろくにみえず、アルファが肉をひとり占めしたウサギには、茶色いまだらがあって、子犬がすわるための岩もないようなありさまだというのに。

犬たちは、そわそわと顔をみあわせた。マーサはストームに駆けよろうとしたが、ベラが警告するようにみると、ぴたりと足を止めた。

アルファが、脅すようにしっぽをまっすぐに立てる。「名前を選べ。さもなくば、わたしが選んでやる！」

ストームは、つばを飲みこんだ。立派に感情を抑えているその姿をみて、ラッキーは誇らしくなった。子犬はくりかえした。「あたしの名は、ストーム」

アルファは鼻を鳴らし、フィアースドッグのまわりでゆっくりと円をえがくように歩きはじめた。「いいだろう」悦に入ったような声だ。ストームは、オオカミ犬が真うしろを通ると毛を逆立てたが、毛皮の上から動こうとはしない。子犬の正面に回りこんだアルファは、いじわるく勝ちほこった顔で、牙をむいた。「〈月の犬〉の名にかけて宣言する。おまえは、自分の名を選ぶ権利をみずから捨てた。ならば、群れのアルファとしての権利と義務のもと、わたしがかわりに名付けてやろう。この名は死ぬまでおまえについてまわり、ほかの者たちがおまえを呼ぶときは、かならずこの名を使うのだ」フィアースドッグは、ようやくアルファの目をみた。

「これより、おまえの名を〝残忍なる者〟とする」

13 ふしぎな塔

〈太陽の犬〉が谷間を照らしはじめるころ、群れは水辺におりていった。先頭をいくアルファは、がっしりした足で砂を踏みしめ、太いしっぽを風の中でゆったりと振っている。そのとなりを、スイートがぎこちない足取りで歩いている。深い砂の上でバランスを取ろうと苦労していた。

ラッキーは、ほかの犬たちといっしょに、二匹のあとに続いていた。あくびをしながら、〈果てしない湖〉をながめる。水の上には霧が立ちこめ、白い波に溶けこんでいた。ふたたび陸に視線をもどすと、砂地は、視界の続くかぎりどこまでものびている。砂地にそって、切りたった白い崖がそびえている。

どこまで同じ地形が続いているのだろう。もし、砂と水が永遠に続くとしたら？

考えこんでいたラッキーは、ビートルの歓声でわれに返った。

「鳥！　きのう食べたのと同じ！」

「つかまえなきゃ！」ソーンも吠える。

子どもたちは、頭上で円をえがいて飛ぶ水鳥たちをみあげていた。牙をむき出してはしきりに吠え、宙にとびあがる。

「覚悟して！」ソーンは思いきりはねあがり、勢いあまって背中から砂に転がった。

アルファがさっと振りかえる。「ばかなまねをするな！　空を飛ぶ獲物をつかまえられるわけがないだろう。だまって進め。狩りをするのはつぎの野営地だ」

ビートルは顔をくもらせ、ソーンはしゅんとしてうつむいた。ムーンが急いで子どもたちに駆けよる。

気は進まなかったが、ラッキーも、アルファのいうことには賛成だった。飛んでいる鳥は、絶対につかまえられない。昨日の狩りがうまくいったのは、獲物が翼をケガしていたからだ。

ラッキーは、陸のほうへ狩りにいきたかった。〈果てしない湖〉のあたりは、塩の風のせいで草木が育たないらしい。ここから遠ざかれば、寒い〈氷の風〉の季節でも、少しは獲物がみつかるはずだ。つぎに群れが休憩を取るときに、スイートに相談してみよう。スイートならアルファを説得して、群れが湖から離れ、崖と岩場のむこうへいけるように取りはからってくれるかもしれない。アルファとまともに話ができるのはスイートだけだ。アルファも、スイートのいうことになら耳をかす。

そう思うと、ラッキーはくちびるが引きつり、敵にとびかかる寸前のように、背中が弓なりに曲がった。スイートは群れのベータで、アルファにも一目おかれている——ほかの犬と戦って、その地位を勝ちとったのだ。ラッキーは、ほっそりしたスウィフトドッグのうしろ姿に目をやった。アルファとふたりで群れの先頭を歩き、小声でなにか話している。思わず、鼻面にしわが寄った。ラッキーは、このときはじめて、ふたりの関係にやきもちを焼いている自分に気づいた。アルファとベータが連れ合いになることはめずらしくない……それはわかっている。怒りで胃が痛くなり、いらいらして鼻を鳴らす。アルファさえいなければ——。

いきなり、オオカミ犬がこちらを振りかえり、ラッキーはすくみあがった。一瞬、心を読まれたと思ったのだ。だが、アルファがみていたのはストームだった。

「ぐずぐず歩くな、サベッジ！」オオカミ犬はひと声吠え、またスイートに向きなおった。

ストームは、かみつかれたかのようにとびすさった。ラッキーは、悩んでいたことも忘れてうしろに駆けもどり、子犬が追いつくのを待った。

なぐさめようと、そっとなめる。「みんなわかってるよ。あんな〝儀式〟なんか、どうでもいい。アルファがなんといおうと、あの儀式にはなんの意味もない。にせものの名前を使うのはアルファだけだ。ほんとうは、ほんものの名前を使わなくちゃいけないんだ」

ストームはうなずいたが、うつむいたまま顔をあげようとしない。

ラッキーは、もう一度耳をなめて、きっぱりといった。「サベッジなんて呼び名はおかしい。ほんとうのきみは、〝残忍〟な犬なんかじゃないんだから」ときおり、ストームの言動に不安になることはあっても、それは心の底からの言葉だった。

時がたつにつれて、湖に立ちこめた霧は濃くなっていった。砂地の奥にまで打ちよせてくる波をさけ、犬たちは崖のふもとをはうように進んだ。崖は急に低くなっている。そのむこうでは黄色い砂の丘がどこまでも続き、草や木や獲物は影さえみえない。

ラッキーは、押しだまったまま、ストームと並んでとぼとぼ歩いていた。ほかの犬たちも、歩きにくい砂の上で足を引きずっている。

急に鋭い吠え声がして、ラッキーはびくっとした。

デイジーだ。「みて！」短いしっぽを、ちぎれんばかりに振っている。

ミッキーも同じ方向をみていた。「家だ！」

霧のむこうに目をこらすと、建物のりんかくがぼんやりとみえた。家にしては高く、湖を見張るようにそびえる塔のような建物だ。ラッキーは、にわかには信じられなかった。その塔はまるで、〈果てしない湖〉の上に浮かんでいるようにみえたのだ。

犬たちはぴたりと足を止めた。ラッキーは首をかしげた。ほんとうに、あれは家だろうか。ニンゲンの家が、どうして湖の上なんかにあるんだろう？　町は、はるか遠くだというのに。ニンゲンは仲間と暮らすものだ。

「あそこにいかなきゃ！」デイジーは、待ちきれないように吠えた。前にとびだし、いっしょにいこうとさそうように仲間を振りかえる。

ミッキーは興奮して地面を引っかいている。「ああ、いこう！　きっとニンゲンたちがいる。食べ物をくれるかもしれない！」

これをきくと、サンシャインは駆けだした。「いってみなくちゃ！」かん高い声で、きゃんきゃん吠える。

ベラはラッキーを振りかえり、がっかりしたような顔でしっぽを垂れた。きっと、自分とおなじことを考えているにちがいない。元〈囚われの犬〉たちは、いまだにニンゲンを頼るつもりだろうか。〈大地のうなり〉が起こる前のような、頼りない犬にもどってしまうのだろうか。

サンシャインの話を思いだすと、お腹が鳴った。ニンゲンのもとにいたころは、一日に二度、食べ物の入ったボウルを出してもらっていたという。空腹のせいでニンゲンを恋しがっているだけだろうか。アルファはなんというだろう？　スイートは、デイジーたちを止めにいくだろうか？

サンシャインはアルファの判断も待たず、急に元気になって、まっすぐに塔をめざしている。白いしっぽを激しく振りながら、砂の坂をよじのぼっていく。いままでみたこともないほどすばやい。白い姿は、たちまち、うずをえがく霧のむこうに消えていった。

ミッキーとデイジーは、がまんできずにあとを追った。

アルファが激しく吠える。「もどれ！」

だが、二匹にはきこえていない――夢中で水辺を走り、先を争うように、細長い塔へ一直線に向かっている。

オオカミ犬は、なじるようにラッキーをにらんだ。「あの妙な建物に、あいつらのだいじなニンゲンがいるとは思えん。オメガがどこに消えようとかまわん――あんな白いちびは、いてもいなくても同じだ。だが、ミッキーとデイジーを失えば、群れにとって打撃になる。使い物になる猟犬が少ないのだから」意地の悪い目つきは、なにかいいたそうだ。「〈街の犬〉、さっさとあいつらを連れもどせ！　ぐずぐずするな！」

ラッキーは顔をこわばらせた。アルファのいやみのせいではない――オオカミ犬に当てこすりをいわれるのは慣れっこだ。胸が痛んだのは、サンシャインがかわいそうになったからだ。あのマルチーズは、群れになじもうといっしょうけんめいで、ずっと仲間のために尽くしてきた。たぶんアルファは、サンシャインの名前さえ覚えていないだろう。オメガはオメガでしかない。だが、少なくともオオカミ犬は、群れがばらばらになることは望んでいないらしい。

ラッキーはうなずき、くるっとうしろを向いて三匹(びき)を追いはじめた。

すると、力強い吠(ほ)え声がきこえた。ベラとストームが追いかけてきている。うしろをたしかめると、ほかの犬たちも二匹(ひき)に続いて走ってくる。ラッキーは、仲間が誇(ほこ)らしくて、しっぽを振(ふ)った。群れはしっかりと団結している。

霧(きり)は、手前の砂地の上にも塔(とう)のまわりにも、立ちこめていた。走っていった三匹(びき)の姿は、霧(きり)に隠(かく)れてみえない。ミッキーの黒いぶちもようさえわからない。ラッキーは声をかけた。「サンシャイン！　デイジー！　ミッキー！　気をつけろ――なにが潜(ひそ)んでいるかわからないぞ！」

ふいに足跡(あしあと)が目に入った。足跡(あしあと)を追っていくと、驚(おどろ)いたことに、かたい石の道にたどり着いた。石の道は橋のようで、〈果てしない湖〉のほうにつきだし、塔(とう)にまで続いている。少し先のほうから、デイジーとミッキーの興奮した吠え声がきこえてきた。

「こっちだ！」ラッキーは、ベラとストームに声をかけ、湖の上の道を急いだ。途中で、疲れきったようすのサンシャインを追いぬいた。「みんなから離れるんじゃないぞ！」ラッキーは、マルチーズに声をかけた。

サンシャインは、荒い息をつきながらうなずいた。黒々とした目が、白い霧の中でくっきりとみえる。

ラッキーとベラは並んで走り、ストームもすぐうしろをついてきた。道の両側から波が打ちよせ、白い泡が雨のように降ってくる。湖は逆巻き、激しくゆれ、いまにも、犬たちもろとも道を飲みこんでしまいそうだ。

ベラは急に足を止め、恐怖で目を見開いた。「ミッキーとデイジーが、眠ってた湖を起こしちゃったんじゃない？」

ラッキーも恐怖と戦っていた。泡立つ水が足を洗っていく。だが、いま必要なのは、仲間を落ちつかせることだ。トンネルの中でみんなにかけた言葉を思いだす。「きっと、〈湖の犬〉のせいだ……」

「〈湖の犬〉？」ベラは、地面にしがみつくように爪を立て、ぶるぶる震えている。

ラッキーはうなずいた。「ほら、〈川の犬〉はずっと走っているだろう？　速いときも遅いときもあるけど、絶対に止まらない……〈湖の犬〉は、同じところでしじゅう波を立てているしかないんだ。ベラ、ぼくたちだって同じだった。ほんの赤ん坊で、ニンゲンたちが外に出してくれなかったときのことを思いだしてごらん。力をもてあましてるのに、どこにもいけなくて、うずうずした。きっと、〈湖の犬〉にも同じことが起こってるんだ。ちょっと乱暴に遊んでるだけ。どこにも走っていけないから」

それをきくと、ベラの体の震えがおさまっていった。感謝をこめて、ラッキーに鼻をすり寄せる。「きっと、そのとおりね」

ラッキーは、ストームが怖がっていないか心配になり、うしろを振りかえった。ストームは、シュウシュウ音を立てて流れてくる水のにおいをかいでいる。驚いたことに、少しもおびえていない。

ストームのうしろに目をやると、霧にまぎれて、ほかの犬たちが追いついてくる姿がみえた。湖をわたる道の手前で止まっている。肩で息をするスイートとスプリングが先頭に立ち、そのすぐうしろにアルファとムーンがいる。どの犬もおびえたように耳を寝かせ、道に押しよせる白い波をみつめている。

それ以上近づいてくるつもりはないらしい。たった三匹でミッキーとデイジーを連れもどさなくてはならない。

ラッキーたちは、さっきよりも慎重な足取りで、湖の上の道をゆっくりと進んでいった。つきあたりまでくると、塔のまわりを細い小道が囲んでいるのがわかった。近くでみると、塔はみあげるように高い。湖から流れてくる濃い霧が、塔のまわりで、渦をえがいている。

なぜニンゲンたちは、湖の上に塔を建てたりしたのだろう。あたりをみまわしても、ほかに建物はみあたらない。みあげると、てっぺんの壁は、外を見張るためなのか、ガラスになっていた。いったい、なにを見張るのだろう？

三匹は霧の中を歩きながら、ミッキーとデイジーに呼びかけた。小道はごつごつした岩場に囲まれている。波が岩にぶつかっては砕け、白い水しぶきをあげていた。

ベラはその光景をみるとすくみあがり、しっぽをわき腹に巻きつけた。「ミッキー？　デイジー？　もどってきて――ここは危ないわよ」

「ベラかい？」霧の中から牧羊犬が現れ、美しい毛並みの体を振った。そのうしろを、うなだれたデイジーがついてくる。

「ニンゲンを呼んでみたんだ」ミッキーがいう。「ドアを引っかいてみた……どうしてだれも出てきてくれないんだ？」

ラッキーは仲間に近づき、思いやりをこめて耳をなめた。「家があるからってニンゲンがいるってことにはならない。〈囚われの犬〉だったころだって、そうだっただろう？」そういって、大きな塔のほうを向く。あらためてみると、塔は細長く大きな木のようだ――いや、もっとなめらかだった。「ここにニンゲンが住んでいるとは思えない。この塔は、住むための建物じゃなくて、〈大地のうなり〉が起こる前から、湖を見張るとか、そういうことに使っていたんじゃないかな。ニンゲンは、仲間と集まって暮らすのが好きだけど、ここはすごく……」ラッキーは、言葉を探していいよどんだ。

「……すごくさびしい」ミッキーは、悲しそうにしっぽを垂れた。「そのとおりだ。こんなところにくるなんて、ばかだったよ。勝手に群れを離れたりしちゃいけなかった。アルファは腹を立てているだろうな……」

デイジーは、まだ認めたくないようだった。「そう？　ラッキーにだってこのおうちの使い道がわからなかったのに。おいしいごはんをくれるニンゲンがいるかいないかなんて、だれにもわからなくてあたりまえでしょ？　せっかくきたんだから、ちょっとだけでも中をのぞいてみない？」期待をこめて細いしっぽを振る。

「やめて！」ベラが叱りつけるようにいった。「ここにニンゲンはいないわ。いたとしても、どうして親切にしてくれるって思えるの？　あんなにいろいろあったのに。フィアリーがどんな目にあわされたか、もう忘れたわけ？」

デイジーはうつむき、しょんぼりした声で鳴いた。「黄色いニンゲンとふつうのニンゲンはちがうもの」

ベラが肩をそびやかせて言い返そうとした瞬間、群れが激しく吠えたてる声がきこえてきた。

ラッキーは反射的に耳を立て、振りかえった。〈野生の群れ〉が、必死で吠えながら、全速力でこちらへ走ってくる。なにがあったのだろう？

湖の道に立ちこめた霧の中に、先頭を走るスイートのほっそりした姿が浮かびあがった。すぐあとにアルファが続き、ほかの犬たちも、もつれ合うように走ってくる。どの犬も、追いつめられたような顔だ。仲間と先を争いながら、波が打ちよせる道を走っている。

「どうした？」群れに声をかけたラッキーは、はっとした。仲間の体からにじみ出してくる恐怖のにおいで、こっちまでパニックになりそうだ。なにがあったのかたしかめようと、道の先に目をこらす。そのあたりは、ふたたび霧が濃くなっていた。少しのあいだ、世界が、白くやわらかい霧の毛皮に包まれてしまったような気がした。かすかに霧がうすくなった瞬間、湖の道の上に、音もなく忍(しの)びよってくる影(かげ)がいくつもみえた。隊列を組んで進み、黒い目を光らせている。なめらかな毛並みのがっしりした体が、空を背にくっきりと浮(う)かびあがってみえる。

フィアースドッグだ。

湖の道

〈野生の群れ〉は鳴いたり吠えたりしながら、たがいにぶつかり、必死でフィアースドッグから遠ざかろうとしていた。塔を囲む小道に、いきなり、がっしりしたブルーノがとびこんできて、あやうくラッキーをつきとばしそうになった。ラッキーは、自分の心臓の音がきこえた。本能が、逃げろと叫んでいる。だが、どこへ？　ゆいいつの逃げ道は、フィアースドッグにふさがれている。まわりを取りかこむ〈果てしない湖〉は、岩場に激しく打ちよせている。マーサでも、この湖を泳ぐことはむずかしいはずだ。

「アルファ、どうすればいいんです？」ブルーノが、ぬれた砂色の体を振って吠えた。

オオカミ犬は答えない。石の道の上で凍りつき、湖をにらんでいる。ラッキーと同じように、泳いで逃げられないか考えているのだろう。

「水が増えてる！　湖が怒って、迫ってきてる！」デイジーがおびえて鳴き、深い水たまりから急いで飛びだした。水たまりは、じわじわと道の上に広がっている。

ラッキーは耳をぴたりと寝かせた。デイジーのいうとおりだ。だんだん、水かさが増している――洞くつのときと同じように。あのときは、あっというまに洞くつから出られなくなった。恐怖で胃がむかむかする。水はどのくらいまで高くなるのだろう。この石の道は沈んでしまうのだろうか。どのみち、あともどりはできない――フィアースドッグが、隊列を組んで迫ってきている。どこに逃げればいいのだろう？

――そうだ、塔だ！

アルファは根が生えたように動かない。決めるのはラッキーしかいなかった。「塔に入れ！あそこに逃げるしかない！」

指示を待ちかねて騒いでいた群れは、ぴたりと静かになった。塔に走り、夢中で入り口を探す。ムーンは慎重ににおいをかぎ、デイジーは前足で壁を探った。

「〈街の犬〉、逃げられると思うな！」ブレードがとどろくような声で吠え、ラッキーと群れをにらみながら、行く手に立ちふさがった。

ブレードの両側は、群れの二番手と三番手がかためている――メースとダガーだ。敵の毛並みは、しめった空気の中で、いっそうつややかにみえた。うしろのほうに、小さな犬の姿がある。ファングだ……あれだけ離れたところにいるのなら、少なくとも、ファングとストームがきょうだい同士で争いあうことにはならないはずだ。つぎの瞬間、敵の群れがいっせいに吠えたて、前にとびだしてきた。

「急げ！」ラッキーは叫び、塔の反対側に回りこんだ。ストームも走りはじめたが、怒りに燃える目でうしろをみている。

この子は、ほんとうは戦いたいんだ……ストームが本能に逆らっていることはわかっていたが、こんなにたくさんの敵には、とてもたちうちできない。

「ほら、早く！」ラッキーは声をかけた。

ストームは鼻を鳴らしたが、おとなしく前を向いた。

「入り口はここにある！」ミッキーの声がする。「だが、開かない！」

群れが数匹、木のドアの前で、半円をえがいて集まっていた。ラッキーはドアに駆けよると、うしろ足で立って勢いをつけ、両方の前足でしめった戸板を押した。きしむ音はするが、開く気配はない。全員でいっしょに押せば、なんとかなるかもしれない――。

ブレードの声が、だんだん近づいている。「野良と雑種の寄せあつめは、どこにいった？」

群れの犬たちは、パニックを起こしてきゃんきゃん吠え、あちこちでぶつかり合った。ラッキーは、仲間の中でもみくちゃにされていた。前足が水たまりを踏んでしぶきをはねあげ、波がたえまなく岩場に打ちよせている。ラッキーは、どうにか群れの中からぬけだすと、急いであたりをみまわした。アルファはどこだ？　どうしてなにも手を打たない？　ふと、以前、黒い雲に追われるように森へと逃げこんだときのことを思いだす。あのときと同じように、またしてもオオカミ犬はおじけづいたにちがいない。

ストームが、仲間の鳴き声に負けじと声をはりあげた。

「ラッキー、あのドアを開けて。フィアースドッグの相手はあたしがする！」そういうなり、ほかの犬たちを頭で押しのけながら、力ずくで石の道へもどった。隊列を組んだブレードたちは、着実に近づいている。ストームと同じで、両側から打ちよせる水には目もくれない。

ラッキーは、恐怖で息が止まりそうになった。「だめだ！」空をあおいで遠吠えをする。「ストーム、殺されるぞ！」

小さなフィアースドッグは、ラッキーの声にはかまわず、かつての仲間をにらみつけた。敵の群れはすぐそこまで迫り、子犬の前に立ちはだかっている。鼻を低く下げて腰をあげ、いまにもとびかかってきそうだ。

ブレードは、落ちつきはらったなめらかな声でいった。「こんな雑種どもと暮らしていたら、おまえはだめになる。そろそろ、フィアースドッグの真の姿を教えてやったほうがいいみたいだね」

ストームは、かたい石の地面の上でしっかりと立ち、ひるむようすもない。「あんたに教えてもらうことなんかない。自分の真の姿くらい知ってる。あたしは、あんたたちとはちがうの」吐きすてるようにいって、とがった白い牙をむく。ピンク色に光る歯ぐきまでみえている。「この先もずっと、あんたたちとはちがう！」ストームは、ぞっとするほど低い声で吠えた。

ラッキーは、目を見開いた。ストームは、いままでとはくらべものにならないほど、激しい敵意をみせていた。おびえたり、逃げ腰になったり、迷ったりする気配がまったくない。うしろ足に力をこめて腰を低く落とし、とびかかる準備をしている。ブレードが鼻をあげて合図すると、両わきのフィアースドッグは、自分たちのアルファに近づけまいとするかのように、ストームに襲いかかった。頭や首を攻撃しながら、じわじわと塔のほうへ追いつめていく。

だが、ストームは負けていない。前足で鼻をなぐりつけてダガーをわきに転がし、すばやく振りむいて、メースが悲鳴をあげるほど、その首にかみついた。ダガーは立ちあがったが、急に自信をなくしたのか、もうとびかかってこない。そのうしろでは、ブレードが手下たちをにらみつけ、くちびるをわななかせている。

ラッキーは、ベラとスイートを振りかえった。「塔に入る方法をみつけるんだ！　中に入ればば有利になる――敵に囲まれずにすむ。どうにかしてドアを開けてくれ！」取っ組み合う犬たちに目をこらしてアルファを探したが、あのがっしりとした顔はどこにもみあたらない。「ストームを助けにいくぞ！　ブルーノ、スプリング、いっしょにきてくれ！」ラッキーは、先に立って駆けだしながら、不安をかぎつけられないように気をつけていた。そばにいたフィアースドッグに向かっていく。訓練を受けた犬とまともにやり合うようなまねはしない――あっというまに倒されてしまう。だが、敵を道のはしに追いやることができれば、荒れくるう水で、戦意をくじくことができるかもしれない。

〈湖の犬〉のことはよく知らない。ほんとうに存在するのかどうかもわからない。それでも、ラッキーは心の中で祈りをささげた。

おそれ多い〈湖の犬〉よ――〈果てしない湖〉をみまもる犬よ、どうか助けてください。ぶじにぼくたちを逃がしてください。

あざけりのこもったブレードの声が響きわたった。

「街の犬も雑種も、まとめて殺してしまえ！」

一瞬、ラッキーは目をつぶり、祈りをつけくわえた。〈湖の犬〉よ、あなたを慕うぼくたちをお守りください――さらうのは悪い犬だけにしてください。
そう祈ったとたん、うしろめたくなって、しっぽがゆれた。いくら敵でも、不幸を願うなんて。ひとつ目の祈りだけでやめておけばよかった。だが、悩んでいるひまはない――フィアースドッグたちが襲ってくる。ラッキーは、メースにとびかかるようなしぐさをした。敵がうしろ足で立ち、牙をぎらつかせる。地面をけったラッキーは、体を横にひねって攻撃を避け、塩からい水たまりに体を投げだした。水の中をすべりながら、塩水がメースの目に入るように足をばたつかせる。メースが後ずさって味方にぶつかり、フィアースドッグの群れは、波が打ちよせる道のはしに押しやられていった。

「気をつけてよ！」フィアースドッグの一匹がうなり、倒れこんできた仲間をつきとばした。

「よくもそんな口を！」倒れたほうのオス犬が吠える。

立ちこめる霧のせいで、ラッキーは五感がにぶくなっていた。だが、スプリングとブルーノをみると、希望がわいてきた。二匹は、道の片側を突進しながら水たまりをはね散らし、フィアースドッグに塩水をかけている。ラッキーも、勇ましく吠えたり身をかわしたりしている二匹に続き、敵の群れを水ぎわに追いつめていった。フィアースドッグたちは、とびすさり、味方同士でぶつかり合い、霧の中でうなり声をあげている。

「落ちつけ！」ブレードの声がとどろいた。「さっさと位置につけ！　こんな雑種犬におびえるなんて情けない！」

「アルファ、このままでは水に落ちてしまいます！」霧のむこうから、フィアースドッグの不安そうな声がきこえる。

「おまえたちが全員おぼれようが、どうだっていい。つべこべ言わずに戦え！　逃げる犬はわたしが処刑する！」ブレードの声は、怒りで震えていた。

フィアースドッグたちは、アルファの脅しにすくみあがり、あわてて戦う体勢にもどった。歯を食いしばってラッキーたちに向かってくる犬もいれば、ほかの〈野生の犬〉のほうに走っていく犬もいる。

ラッキーは急いで振りかえり、ストームを探した。子犬はブレードのすぐ近くにいる。身じろぎもせずに、敵をにらみつけている。

そのとき、霧を切りさくような鋭い悲鳴がきこえた。「サベッジ！」

声のしたほうを向くと、道のむこう側のはしから、アルファの頭だけがのぞいていた。前足でふちにしがみついているのだ。うしろ足は逆巻く白い波に飲まれている。ラッキーはぞっとした。フィアースドッグから後ずさろうとして、すぐうしろの湖がみえていなかったにちがいない。

アルファは助けを求めている。群れの犬たちは塔のむこうに隠れてみえない。ドアを開けようと夢中になって、かん高い声でしきりに吠えている。ラッキーは、あたりをみまわした。ブルーノとスプリングは、敵をかわすだけでせいいっぱいだ。アルファに駆けよろうとしたが、ダガーが行く手をふさいでくる。敵の肩ごしにむこうをみる。ストームはオオカミ犬に届くところにいるが、助けを呼ぶ声などきこえなかったかのように、足を踏んばって動こうとしない。

「サベッジ！　サベッジ、助けてくれ！」オオカミ犬は、自分が選んだ名を呼んだ。かたい石を引っかきながら、必死ではい上がろうとしている。おびえた目で、肩ごしにうしろをみた。大きな波が、うねりながらまっすぐに迫っている。

オオカミ犬は凍りつき、打ちのめされたような顔になった――灰色の毛はみすぼらしくからまり、すがるような表情をしている。「サベッジ、頼む！」

一瞬、ストームは冷たい目でアルファをみたが、すぐにブレードへ視線をもどし、攻撃の体勢を取った。

「アルファにとどめを刺せ！」ブレードがうなる。

メースが牙をむき出し、オオカミ犬のほうに走っていく。

「アルファ、いまいきます！」ラッキーは吠え、ダガーのわきをすりぬけると、道のはしに向かって駆けだした。

だが、オオカミ犬にはきこえていないようだ。大きな黄色い目で、ブレードとメースを交互にみている。近づいてきたメースをよけようと身をひねったはずみに、ふちにかけた前足がすべった。そこへ、大きな波が襲いかかった。大波が石の道に打ちよせ、あたりが一面、白い泡におおわれる。

「助けてくれ！」アルファが遠吠えをした。

水しぶきで視界がくもり、ラッキーは、よくみようと前足で目をこすった。

泡立つ水が、シューッと音を立てながら〈果てしない湖〉に引いていく。ラッキーは、押しよせる水の中でせいいっぱい足を動かし、ぬれた体を低くしながら、できるだけ道のはしに近づいた。

波にさらわれたアルファは、泡のすじが無数に走る水の上で、どうにか黒い顔をあげている。

「がんばってください！」ラッキーは吠えた。

だが、むだだった。オオカミ犬の体は、すでに沖のほうへと流されはじめ、とうてい追いつけない。ラッキーは、ぞっとして立ちつくした。アルファが頭をのけぞらせ、遠吠えをしようとする。だが、きこえてくるのは、のどを絞められているようなゴボゴボという音ばかりだ。

オオカミ犬は、そのまま白い波のあいだに消えていった。

15 巨大な波

ラッキーは、口を開けたままぼうぜんとしていた。渦を巻く湖に目をこらす。もう少しすればきっと、オオカミ犬は波間に浮かびあがり、陸地に泳いでくるはずだ。少しのあいだ、背後のフィアースドッグのことも、足元にひたひたと打ちよせる塩水のことも、完全に忘れていた。ふと、〈湖の犬〉にささげた祈りの文句を思いだし、頭がくらくらする――『〈湖の犬〉よ、あなたを慕うぼくたちをお守りください――さらうのは悪い犬だけにしてください』頭が真っ白になり、めまいがした。アルファを連れていってほしいと願ったわけではなかったのに。

荒々しい吠え声がきこえ、ラッキーは、われに返った。霧の立ちこめた道を振りかえると、フィアースドッグたちが、ブルーノとスプリングに襲いかかっている。スプリングは、〝はねる〟という名のとおり、敵の攻撃をみごとにかわしていた。だが、ブルーノは苦戦している。歯を食いしばってうなっているが、スプリングのようにはすばやく動けない。フィアースドッグは、ブルーノを集中的にねらいはじめている。いっぽうストームは、ゆっくりとブレードに近づいていた。落ちつきはらい、まわりで争う犬たちには目もくれない。

「ストーム！」ラッキーは吠えた。「ブルーノ！　スプリング！　塔にもどるぞ！」ミッキーたちが、ドアを開けてくれていますように――。

　ブルーノとスプリングは、すぐさま振りかえり、塔に向かって走りはじめた。

　ストームは敵に背を向けるのをためらって、足を止めている。

「急げ！」ラッキーは鋭い声を出したが、まだ、アルファが〈果てしない湖〉にさらわれた衝撃から立ちなおれていなかった。さっきの光景が頭にこびりついている。しっかりしろ！　ラッキーは自分を叱りつけた。フィアースドッグに追いつめられれば、アルファとおなじ目にあうんだ！「ストーム！　早く！」かすれた声で、必死で子犬を呼ぶ。

　ストームは、気が進まなそうにひと声うなると、ようやくそばにきた。ラッキーは、子犬が置きざりにされないように、歩調を合わせて走った。ストームがブレードを振りかえるそぶりをみせると、頭で押して先を急がせる。「いくぞ！」

　二匹は、ぬれた石に足をすべらせながら走った。フィアースドッグたちが吠えたて、ばらばらと足音を立てながら追ってくる。洞くつでいためた前足はずきずき痛み、口はからからに乾いて、ろくに息ができない。あたりを水で囲まれているというのに、塩からい空気に体じゅうの水分を吸いとられてしまったかのようだ。

ラッキーたちが小道を回りこんで塔の裏手にたどり着くのと同時に、とうとうベラとスイートが、木のドアを勢いよく押しやぶった。ラッキーは、急いでうしろをみた。フィアースドッグたちとは、まだ十分に距離がある。希望で胸がふくらんだ。これなら逃げきれる――！

大きな波が岩場で砕け、水しぶきが雨のように降ってくる。

「撤退しろ！ 全員、湖から離れろ！」指示を出すブレードの声が、水音の下から切れ切れにきこえてくる。「街の犬、みていなさい、すぐにつかまえてやる！」

ラッキーは身ぶるいした。むこうの砂地で隊列を組み、湖がしずまるのを待ちかまえている敵の姿が目に浮かぶ。だが、いまはフィアースドッグの心配をしている余裕はない。アルファは波にさらわれてしまった――ほかの仲間は、まだそのことを知らない。群れをまとめる犬が必要だ。しっかりしなくては。

塔と岩場のあいだには、激しい波がまともに打ちよせていた。波がぶつかってくると、ラッキーは足に力をこめて踏んばった。ところが、もうだいじょうぶだと気をぬいた瞬間、またしてもべつの波がやってきて、足をすくわれた。体が横に倒れ、ふわっと水に浮く。叫ぼうとしたとたん、口に塩水が入ってきた。パニックになる――息ができない！　ようやく波が引きはじめると、必死で体勢を立てなおし、せきこみながら水を吐きだした。

そのとき、悲鳴のような鳴き声がきこえた。サンシャインが波にもまれながら、岩場のほうに流されそうになっている。マーサが駆けよって、マルチーズの体をくわえ、安全な場所まで引っぱっていった。スイートとベラも足をすくわれ、小道のふちまで流されている。二匹はあやういところで踏みとどまると、はうようにして、細い塔の入り口へもどった。

ラッキーは、口に残った塩からい水を吐きだしながら、いやな予感がして岩場をみた。胃がぎゅっと痛くなる。霧のあいだから、巨大な波が近づいてくるのがみえたのだ。ほかの波より、ずっと大きい。まだ沖のほうにあるが、確実に近づいている。小さな波を集めてふくれあがりながら、こちらにまっすぐ向かってくる。このままでは、一匹残らず波に飲まれてしまう！

「サンシャイン、塔に入れ！」ラッキーは、かすれた声で吠えた。

どうにか立ちあがったサンシャインは、転がるようにして戸口にとびこんだ。すぐあとから、マーサとスイートとベラが続く。

ラッキーは、建物の入り口に立った。「みんな、中へ――早く！」

ミッキーとデイジーがすぐに従い、水たまりに足をすべらせながら塔に駆けこんだ。スナップ、ダート、ブルーノもあとを追い、ホワインも、短い足でせいいっぱい急ぐ。
ラッキーは、にがい塩の味が残る口のまわりをなめながら、逃げおくれた仲間がいないかたしかめた。全員、中に入っただろうか。群れをみまわして数をかぞえる――スナップ、ブルーノ、ミッキー――。

そのとき、スイートがほっそりした顔を戸口からのぞかせた。「アルファはどこ?」

ラッキーは顔をくもらせた。灰色の体が水に沈んでいく光景が頭をよぎる。

スイートはなにかをさとったように、小さく鳴いてうつむいた。

ふいに、たえまない波の音のむこうから、悲しげに遠吠えをする声がきこえた。ムーンの叫び声だ。「子どもたちはどこ? どこにいったの?」

ラッキーは目を見開いた。「中にいるんじゃないのか?」

ムーンが、まだらもようの体を振る。

いても立ってもいられず、ラッキーはそわそわ歩きまわった。「それに、スプリングは?」

「〈湖の犬〉がさらっていったのよ!」ベラが吠えた。その視線を追うと、岩場の外の渦巻く水の上に、三つの黒い影が浮かんでいる。

建物の中にいたマーサは、ベラの声をききつけたらしい。勢いよく走りだしてくると、心を決めたようにひと声吠え、一直線に岩場へ向かった。

「マーサ、だめ！」スイートが叫ぶ。

だが、マーサはためらうようすもみせずに岩を乗りこえ、〈果てしない湖〉にとびこんだ。

ラッキーとスイートは、道のはしに駆けよった。岩場で砕けた波が、しぶきになって降りかかってくる。ビートルとソーンは水面に浮かび、白い泡の中で前足を激しく動かしていた。二匹に向かって、マーサが一心に泳いでいく。

ソーンがおびえて悲鳴をあげた。ビートルが波に飲まれて姿を消したのだ。

それをみたムーンが、岩場をのぼりはじめた。

「やめて！」スイートが吠える。「あなたがいっても助けられないでしょう？」

ムーンは足を止めた。おびえ、とほうに暮れたように青い目を見開いている。

マーサは水かきのある足を力強く動かして、ぐんぐん前に進んでいる。その姿がふいに消え、ラッキーははっと息を止めた。だが、黒い頭はまもなく浮かびあがってきた。口には、しっかりとビートルの体がくわえられている。マーサは前足でソーンを引きよせ、岩場に引きかえしはじめた。

ラッキーとスイートとムーンは、たくましいウォータードッグがつぎつぎと波をこえてくるのをみまもっていた。まっすぐに前をみて、力強く泳ぎつづける。近づいてくる巨大な波をみると、ラッキーは胃が締めつけられるように痛くなった。〈川の犬〉はマーサを守ってくれるだろうか。〈湖の犬〉と〈川の犬〉はきょうだいにちがいない。そう考えると、少し楽になる。だが、ファングとストームのように、きょうだいはかならず仲がいいわけではない。

ラッキーは岩に前足をかけて立ち、乗りだすようにしてマーサをみまもった。マーサは片方の前足を使って、離れていきそうになるソーンをそばに引きよせている。

「危ない！」スイートが叫んだ。水ぎわに近づこうとしたラッキーが足をすべらせ、とがった岩でケガをしそうになったのだ。なんとか体勢を立てなおしたそのとき、マーサが、すぐ下まで泳いできた。ラッキーは、せいいっぱい首を伸ばして水面に顔を寄せた。波が三匹を引きもどそうとする。だが、マーサは顔をしかめて水をかき、あいているほうの前足を岩にかけた。

ラッキーは低くかがんで、波が子犬たちを持ちあげるのを待った。チャンスが訪れると、急いでビートルの首をくわえ、びしょぬれの子犬を、待ちわびる母犬が待つ岩場に引きあげた。

「ラッキー！」マーサの声がする。

水ぎわに向きなおると、ソーンが勇敢に岩をのぼろうとしていた。だが、なかなかはい上がれない。マーサが下から押しあげ、ラッキーが毛皮をくわえて引っぱりあげた。

スイートとムーンは、疲れきった子どもたちを塔の中に運んでいった。

ラッキーは、うねる霧の中に目をこらした。あの巨大な波が、ほかの波をつぎつぎに飲みこみながら、ぐんぐん近づいてくる。さっきよりも速度をあげたようだ。

「マーサ、早くあがってくれ！」ラッキーは吠えた。

大きな黒い犬は、荒い息をつきながら水中でじっとしている。岩をのぼることもできないほど疲れているのだろうか。ところがマーサは、水から出るかわりに、ふたたびラッキーに背を向けた。視線の先をたどると、黒と褐色の犬の影がみえた。

「スプリングがまだ水の中よ！」マーサは吠えた。「助けなきゃ！」

ラッキーが岩から体を乗りだしてみまもっているうちにも、毛足の長いスプリングの体は、流れに乗りながら、少しずつ沖のほうへ遠ざかっていく。長い耳の片方は水面に浮き、もう片方は垂れて、眠っているときのように目にかかっている。

ラッキーは遠吠えをした。「もう手遅れだ！　なにもしてやれない――間に合わないんだ。スプリングは〈大地の犬〉にあずけよう」

「いやよ！」マーサが、大きな黒い頭を振る。「このまま〈湖の犬〉に連れていかれるなんて！　見捨てるなんてできない」スプリングのなきがらに視線をもどし、もどかしそうに身をよじる。

ラッキーは、まっすぐこちらへ向かってくる巨大な波をみていた。「マーサ、頼むから、あがってきてくれ！　そこにいたら、きみまで死んでしまう。群れにはきみが必要なんだ！」

マーサはようやくあきらめ、岩場に泳いできた。前足を岩にかけ、苦しそうに息をしながら体を持ちあげる。「スプリングは、水の中でひとりぼっちだわ」悲しげな顔で、しきりにきゅうきゅう鳴く。「〈湖の犬〉が連れていってしまえば、〈大地の犬〉は二度とみつけられない。あの子の魂は、ここに囚われたまま――ほかの魂たちの仲間入りもできないし、土にかえることもできない。こんなに冷たい水の中で永遠にひとりぼっちなんだわ」

ラッキーは、マーサの耳元でいいきかせた。「そのときがくれば、〈大地の犬〉は、どんな犬だって連れていってくれる。スプリングのことも、きっとみつけてくれる」

マーサは顔をあげ、感謝をこめてラッキーの目をみた。重い足を引きずりながら、塔の入り口まで歩いていく。ラッキーもあとに続いた。中に入ってみると、細い階段が、らせんをえがきながら上に向かってのびていた。仲間のにおいが階段に残っている。みんな、ぶじに上までたどりついていますように――。

その瞬間、すさまじい音とともに、巨大な波が岩場に打ちよせてきた。

「急げ！」ラッキーとマーサは、細い階段を駆けあがった。開いた戸口から、大量の水が流れこんでくる。ラッキーはぞっとした。水かさはどこまで上がるのだろう。上は安全だろうか？　水は、階段をのぼる二匹の足元にまで迫ってきたが、しばらくすると、ちゃぷちゃぷ音を立てながら引いていった。ラッキーは、そのすきを逃がさなかった――マーサを急きたてながら、階段を一気にのぼりきる。

塔の一番上は、広々とした円形の部屋になっていた。地上からみえていたガラスの壁に囲まれている。入り口には、街にあったような大きな電球があり、おびえた仲間がそのまわりに集まっている。ラッキーとマーサが入っていくと、いっせいにほっとしたような吠え声があがった。マーサが、疲れきった体を重たげに横たえ、ぜえぜえ息をする。ラッキーも、となりでうつぶせになった。

「ぶじでよかった！」スイートが立ちあがり、二匹の鼻をなめた。

「アルファはどこにいるんだ？」ブルーノがたずねる。

ダートが弾かれたように立ちあがった。茶色い目を心配そうに見開いている。「スプリングをみなかった？」

ラッキーはうなだれ、頭をかたい床にあずけた。「二匹とも〈湖の犬〉が連れていった」

部屋の中が、水を打ったように静まりかえる。ダートは後ずさり、震える体を壁に押しつけて、小さくうずくまった。

「こんなところ、早く出たい！」ストームが叫んだ。

「外の道にもどるわけにもいかないでしょう」スイートが叱りつける。

ミッキーは心細そうに鳴き、伸ばした前足に頭をのせた。「あの道は、もうみたくもない。わたしたちのせいで、群れをこんな恐ろしい場所に連れてきてしまった。ふつうのニンゲンの家ではないし、食べるものもない。あんなにいろいろなことがあったのに、わたしはなにも学んでいなかった」

「こんな建物、気づかなきゃよかった」デイジーが声をあげた。「あたしのせいで、みんなが閉じこめられたんだもの」

ムーンが鳴いた。「このまま〈湖の犬〉が怒りをしずめなかったら、どうなってしまうの？アルファとスプリングがさらわれてしまったなんて。もう少しでわたしの子どもたちも……」

ダートがクンクン鳴き、体を強く壁に押しつけた。

「湖はそのうち落ちつくよ」ラッキーは、むりに明るい声をよそおっていった。「ずっとこんなに荒れてたわけじゃない。前は静かだったんだから、きっと、また静かになる」

ベラが、そっとラッキーのそばにきた。「フィアースドッグたちが待ちぶせしてたらどうするの？」

ラッキーが答えるより早く、ストームがかみつくようにいった。「あいつらがいたら、思い知らせてやる！　ブレードのせいで、仲間を二匹も失ったんだから——血には血で復讐をしなきゃ！」子犬の声は、部屋じゅうに響きわたった。

ラッキーは身ぶるいしたが、頭を床に寝かせたまま、だまっていた。塔の下では、波が岩場を激しく洗い、たえまないシューッという音が、ほかの音をかき消している。

しばらくすると、湖の音は静かになり、かわりに、群れの不安そうな鳴き声がきこえてきた。

そのとき、ラッキーはべつの声に気づいた——胸の奥深くからもれてくる、怒りのうなり声だ。

幼いフィアースドッグは、いつのまにか眠っている。子犬は、夢の中で敵に復讐をしているらしい。

16 新たな群れ

ラッキーは、ぶるっと震えて目が覚めた。ガラスから射しこむ灰色の光は、少しも部屋をあたためてくれない。夜は明けていたが、〈太陽の犬〉は雲に隠れてほとんどみえなかった。

塔の中は凍てつくように寒い。それでも、雨風をしのぐことはできる。スイートはもう目を覚まし、体をなめてきれいにしていた。ブルーノはうしろ足で耳をかきながら、小さくうなっている。

そのとたん、記憶がよみがえり、ラッキーははっとした。スプリングが、湖の水面に浮かんでいる――黒と褐色の体が、波間にみえかくれしている。のどがしめつけられ、鳴き声がもれた。最後にみたアルファの姿も、頭を離れない。道のふちにしがみつき、助けをもとめて吠えていた。サベッジ、とくり返し呼んでいた。だがストームはブレードをにらみつけ、アルファのすがりつくような声には耳もかさなかった。

ラッキーは、いやな記憶を消せればいいのに、とため息をついた。ふと、自分が土に深い穴を掘って、つらい記憶を〈大地の犬〉にささげている姿が思いうかんだ。もちろん、そんなことはできない。

前足を思いきり投げだし、伸びをする。寒さのせいで体がこわばり、関節がきしむ音まできこえるような気がした。打ちよせる波でびしょぬれになった毛皮には、夜のあいだにうすい霜がおりている。ムーンのアドバイスを思いだし、ゆっくりと立ちあがって体を振った。からっぽでちくちく痛んでいたお腹は、ぽっかりと穴が開いたように感覚がない。体じゅうが重い。

突然、低く悲しげな遠吠えが響きわたり、ラッキーはとびあがった。

眠っていた犬たちも目を覚まし、驚いて顔をみあわせる。

「なんなの？」スイートが吠えた。

ラッキーは、顔をしかめた。壁を震わすようなこの遠吠えをきくと、ニンゲンが暮らしていたころの街で、ジドウシャたちがあげていた奇妙な吠え声を思いだす。「塔が吠えてるみたいだ……」

ベラが耳を振る。「塔が遠吠えをするっていうの？」

ラッキーはきょうだいと顔をみあわせた。建物が声を出すなんて、きいたことがない。生き物じゃないのに――いいや、この塔は生きているのだろうか。ラッキーは、入り口のそばにある大きなガラスの球をみた。夜にニンゲンの街を照らす球に似ているが、もっと大きくて、光は消えている。この塔は、スプリングとアルファが〈湖の犬〉にさらわれていくのをみていたのだろうか。

「悲しそうな声」ビートルが小さな声でいって、母親に体を押しつけた。

朝の弱い光を受けて、ムーンの目は灰色にみえる。耳と尾を、力なく垂れている。口を開け、か細い声で遠吠えをはじめる。心細そうな声が、建物の遠吠えと重なりあう。ビートルとソーンも、かん高い声で悲しげに鳴いた。一匹また一匹と、群れの犬たちは遠吠えに加わり、〈月の犬〉と〈太陽の犬〉に呼びかけた。どちらの犬も、いまはくもった空に隠れて姿がみえない。

ラッキーは目を閉じて、頭をそらした。〈精霊たち〉よ――すべてをみまもる犬たちよ、どうか死んでしまった仲間をお守りください。みんなの魂が、ぶじ〈大地の犬〉のもとにたどり着けますように。

目を開けると、ガラスのむこうに水鳥の群れがみえた。円をえがきながら飛ぶ姿をみると、ずきっと胸が痛む。この先、あんなふうに自由を感じられるときがくるのだろうか――〈大地のうなり〉が起こる前、〈孤独の犬〉として生きていたころのように。ラッキーは、部屋の中に視線をもどした。仲間たちは、毛もぼさぼさに乱れ、疲れきったようすだ。ラッキーは、口の中のしつこい塩の味を消そうと、つばを飲みこんだ。ひと口でいいから、冷たくすんだ水が飲みたい。考えただけでつばがわいてくる。

ラッキーは、群れに声をかけた。「ここにはいられない。食べるものもなさそうだ」

「〈湖の犬〉も怖いわ」ダートが鳴いた。「アルファみたいに強い犬までさらわれてしまうなら、だれも気がぬけない」

サンシャインは、もつれた毛におおわれた体を振った。「でも、ここを出るってことは、あの危険な道を通るってことでしょ？」震えながら後ずさり、ブルーノにぶつかって、びくっと身をすくめる。「フィアースドッグが待ちぶせしてたら、どうするの？」

そのとおりだった。「ぼくがたしかめてくるよ」ラッキーはいった。

「だめ！」サンシャインが叫ぶ。「ひとりでいっちゃだめ！」

「ちゃんと気をつけていくから。だいじょうぶだよ」ラッキーは小さな犬のそばにいき、なぐさめようと鼻をなめた。

「あたしもいっていい？」ストームが立ちあがる。

「だめだ」ラッキーはあわてていった。もしもフィアースドッグがいたら、この子は全員を挑発してしまう。「偵察は一匹でいっても二匹でいっても、おなじだよ。ひとりのほうが目立たなくてすむ」

　ストームは不満そうな顔をしたが、口をつぐんだ。

　ラッキーは階段をおりていった。あちこちにある水たまりですべらないように、慎重に歩く。石の床にたどりつくと、入り口から外をのぞいた。霧は、水の上で白い壁のように厚く立ちこめ、ほとんど動かない。思ったとおり、その下に広がる湖は、静かになっていた。寄せてくる波も、岩場をこえるほどは大きくない。

　ラッキーは、塔を回りこんだ。苦しげな遠吠えは続き、耳を前に倒して集中しないと、ほかの音がきこえない。道の上に出ると霧はうすくなり、そこかしこで細くたなびいている。ラッキーは体を低くして、忍び足で歩いた。生き物の気配はしない。

　肩の力をぬいて、ゆっくりと息を吐く。だれもいないようだ。

　ふと、うしろで足音がきこえ、鼻がフィアースドッグのにおいをかぎつけた。どきっとして、急いで振りかえる。だが、そこにいたのはストームだった。ラッキーは、前足で石の地面をたたいた。「待ってなきゃだめじゃないか！」

　牙をむき出して食いさがるかと思ったが、意外なことにストームは、きまりわるそうに体を低くした。うなだれて、上目づかいでラッキーをみあげる。
「ついてきちゃいけないってわかってたけど。でも、ラッキーがひとりだったから、心配だったの。かんしゃくばっかり起こしてごめんなさい。逃げてばっかりで、うんざりしちゃったの。いい子になりたいのに」ストームは、道のむこうの砂地に目をやった。「フィアースドッグがいたら、いっしょに戦おうって思ってたのに」どこかがっかりした声でいうと、口のまわりをなめた。

　ラッキーは、感謝をこめて、子犬の耳に鼻をすり寄せた。「だいじょうぶ、ちゃんとわかってるよ」だが、ストームがこれほどブレードとの対決を望んでいることを知ると、胸の中は複雑だった。

　二匹は塔にもどり、仲間を呼んだ。群れは出発し、重い足を引きずりながら、とぼとぼと湖の道を歩いていった。ラッキーは、湖をのぞきこんだ。霧が出ていてよかった。スプリングとアルファのなきがらが浮かんでいたとしても、霧のおかげでみずにすむ。できれば、二匹には湖にいてほしくない――〈湖の犬〉が死んでしまった二匹をあわれんで、遠くの岸辺まで運んでくれるといい。ざらざらした黄色い砂地ではなく、やわらかな茶色い土があるところまで。そうすれば、〈大地の犬〉が迎えいれてくれる。

群れは崖をのぼりながら、湖と平行に進んでいった。ラッキーは、ふとトウィッチのことを思った。スプリングはきょうだいに会いたがっていたが、その願いは二度とかなわない。なんとかしてトウィッチに、きょうだいの身に起こったことを知らせたい。

群れは、苦しそうに息を切らしながら、急な斜面になった崖の中腹をのぼっていった。フィアースドッグの気配はないが、どこかの岩陰に潜んでいそうな気がしてならない。

ラッキーは先頭を歩きながら何度も振りかえり、ついてこられない犬がいないかたしかめていた。どの犬も疲れている。白かったサンシャインは、ぬれて黒く汚れていた。草のような筋になった緑色の染みのことを、しきりにこぼしている。ブルーノは足を引きずり、荒い息をついている。ムーンはソーンとビートルのそばをかたときも離れない。子どもたちが落ちないように、自分が崖のふちに近いほうを歩き、二匹の足元に目を光らせている。「急がないでいいのよ。ゆっくり歩きなさい」

スイートとベラは、しっかりとした足取りで、ラッキーのすぐうしろを歩いていた。いっぽう、二匹のうしろにいるマーサは、地面につきそうなほど頭を垂れていた。くたくたに疲れて、足をあげるのもつらそうだ。ビートルとソーンを助けたときに、力を使いはたしてしまったにちがいない。スプリングを助けられなかったことで、いまも自分を責めているのかもしれない。

崖の小道は、ごつごつして殺風景だった。冷たい風が湖から吹きつけてくる。それでも、岩のあいだには、新鮮な水がたまっていた。ラッキーはよろこんで水を飲み、舌にしつこく残っていた塩の味を洗いながした。

崖のてっぺんの開けた土地につくと、群れは足を止めて息を整えた。砂地のあちこちに先のとがった草が生え、大きくなめらかな岩がいくつも転がっている。そこからは、塔の全体をながめることができた。まだ、物悲しい遠吠えは続いている。毛皮のように厚い霧の切れ目から、〈果てしない湖〉がみえた。きのうにくらべると、水かさがずっと少ない。ふと、落ちていったオオカミ犬のおびえた表情を思いだした。岩に体をたたきつけられて、どんなに痛かっただろう。ラッキーは、敬意をこめて頭を下げた。アルファのことは好きになれなかったが、それでも、あんな目にはあってほしくなかった。

なにもかも、ブレードたちのせいだ。こんなにしつこいのは、もちろん、ストームがいるからだ。ラッキーたちに子犬を盗まれたと思いこんでいる。ストームがこの群れにいるかぎり、決してあきらめないだろう。アルファはそれをわかっていた。いつかひどいことになる、と考えていた。ラッキーは、目のはしで子犬をみた。ストームはいま、ほかの犬たちと、どうやって狩りをすればいいか話している。

スイートが指示を出した。「ミッキーとスナップ、崖の上をみてまわって、岩の陰に獲物が隠れていないかみてきてちょうだい。ストームも連れていって。ほかのみんなは、そのあいだに少し休みましょう」

ラッキーはそのようすをみまもっているうちに、不安でうなじがチクチクしてきた。あの子は、オオカミ犬が助けを求めていたとき、その声に気づいていたのだろうか……。

「ストーム」考えるよりも先に声が出た。

ストームはぱっと振りむき、しっぽを勢いよく振りながらはねてきた。首をかしげ、うれしそうに口を開けて舌を垂らす。「ラッキー、なに？」目をまん丸に開き、つぎの言葉を待ちかねてうずうずしている。

ラッキーは、静かにいった。「おいしい獲物をつかまえてきてくれ」

「うん！」ストームは元気よく吠えると、さっそくスイートたちのもとへもどっていった。

たしかにいま、ストームは、ラッキーの小さな声でさえ、ききとることができた。

重苦しい気分を抱えて、ラッキーは、離れていくストームとスナップとミッキーをみまもった。三匹は崖のふちをたどっていき、やがて、小さな岩山のうしろに姿を消した。

だれかに肩を軽く触れられて振りかえると、スイートがいた。

「きっと獲物をつかまえてきてくれるわ。さっき、そのあたりでウサギのふんをみつけたの」元気づけてくれようとしているのだ。だがスイートの体は震え、目の下には影ができている。もともとやせていて、毛はやわらかくて短い。ラッキーより寒さに弱いはずだ。

「こっちで休んだほうがいい」ラッキーはそういって、風をよけられる岩のあいだのくぼみに連れていった。スイートはため息をついてうずくまった。ラッキーは、寒そうに震えるスイートの背中に寄りそい、ぴったり体を押しつけた。

あたためようと、首をなめる。「〈大地のうなり〉がきた夜のことを覚えてるかい？　ぼくたちのおりはとなり同士だった。姿はよくみえなかったけど、きみがいるのはちゃんとわかった」

「ええ、そうね」スイートは目を閉じて、小さな声でいった。

ラッキーは、スイートをじっとみまもっていた。鼻面をおおうなめらかな毛はクリーム色で、つらいことをいくつも乗りこえてきたいまでも、洗いたてのようにきれいなままだ。背中の毛は、ようやく岸辺を照らしはじめた〈太陽の犬〉の光を浴びて、砂色に染まっている。ホケンジョで出会ったときのスイートは、親しみやすく上品なにおいがした。豊かで甘い上品なにおいは、いまも変わらない。だが、親しみやすさのほうはどうだろう。あのころから、ほんとうにたくさんのことが変わった。このスウィフトドッグには、あのころのラッキーは知らなかったいくつもの面がある……恐れ、疑い、そして強さ。

　ラッキーはため息をついて、目を閉じた。まもなく、夢もみない眠りに落ちていった。


　目を覚ますと、〈太陽の犬〉は空の低いところにおりてきていた。一瞬、ここがどこなのか考えこむ。少しして、〈果てしない湖〉のそばで夜を明かしたことや、近くにいるにちがいないフィアースドッグたちのことを思いだした。スイートはそばにいるが、すでに目を覚ましていて、黒い目に光を浮かべていた。ラッキーのむこうに視線をやり、もやがかかった白っぽい空をみている。「わたし、前の群れにいたときは、リーダーでもなんでもなかったの。でも、〈大地のうなり〉が起こって、たくさんのことが変わったでしょう。アルファのベータになったのは、そうするしかなかったからよ。生きのびるにはどんなことでもやらなくちゃ」ちらっとラッキーの目をみて、ふたたび空に視線をもどす。「でも、いまは、群れを率いる仕事がどんなに大切かわかってる。いいたいこと、わかるでしょう?」

　ラッキーは、どうしてそんなことをきくのかふしぎになった。前にも同じ話をしてくれたことがある。オオカミ犬がいなくなったいま、新しいアルファになる自信がゆらいできたのだろうか。それとも、ラッキーには群れを率いる自覚が足りない、といいたいのだろうか。
返事をしようと口を開けたとき、マーサの低い吠え声がきこえた。「猟犬たちがもどってきたわ！」

　群れは、砂におおわれた空き地に集まり、待ちわびたようにしっぽを振っていた。スナップが砂の小山に獲物を置き、得意げに目をかがやかせる。一歩うしろに下がると、丸々と太ったウサギがみえた。群れが、わっと歓声をあげる。

「これなら、みんながありつける！」ミッキーがいって、しっぽを勢いよく振りながら、誇らしげにスナップとストームと目を合わせた。

　ベラが猟犬たちに駆けより、狩りの成果をほめたたえた。ほかの犬たちも、感謝をこめて吠えている。

　ふいにラッキーは悲しくなった。自分たちはこうして、食べ物をどう調達するかで毎日頭を悩ませ、つぎになにが待ちかまえているかも知らずに、一日一日を生きのびていくしかない。川イタチのことを思いだすと、顔がくもった。五匹で分けると、それぞれの取り分はほんの少しだった。目の前のウサギをみると、つばがわいてくる。おいしそうだが、全員で分けることを考えると量は多くない。

だが、群れは昨日より二匹減った――。

物思いに沈んでいたラッキーは、はっとわれに返った。気づけば群れは、獲物のまわりに集まり、押しだまっている。スイートは群れの視線を浴びながら、どうすればいいか決めかねているようにウサギをみつめていた。ひげが小さく震えている。一番に口をつけていたアルファがいなくなり、どんなふうに食事をはじめればいいのか、わからないのだ。ベラやデイジーのような〈囚われの犬〉さえ、いまでは群れの決まりにすっかり慣れて、獲物に近寄るのをためらっている。

スイートはせき払いをして、とまどいを振りきるように、鼻をあげた。「アルファはいなくなったのだから、獲物はいっしょに分けあいましょう。リーダーをどうするかは、あとで考えればいいわ」

腹を空かせた犬たちは、さっそくそのとおりにした。先を争うようにして獲物の小山にとびつき、たちまち平らげてしまった。犬たちが砂地の上で前足をなめていると、ムーンが、平たい大きな岩の上にあがった。

「さあ、集まってちょうだい。みんなで、わたしたちを力強く導いてくれたアルファを偲びましょう」

群れは小さく鳴きながら、ムーンのまわりで円を作った。だが、アルファの死を悲しんで苦しげに遠吠えをするものはいない。

ストームは、なんの表情もない顔で、霧がかかった湖をながめている。アルファにしつこくサベッジと呼ばれたことを思いだしているのだろうか。灰色の体が波に飲まれていったときのことを考えているのだろうか。

「ほんとうに、長い旅をしてきたわね」ムーンが続けた。「みんな勇敢で、忠実で、ねばり強かったわ」

犬たちは、そのとおりだと声をあげ、ラッキーもうなずいた。ムーンはだれからも尊敬されている。いまのような姿をみると、それもうなずける。

ムーンの目は、あざやかな青にかがやいていた。「スプリングとアルファを失ったことで、みんな苦しんでいると思う」

ダートは悲しげに鳴き、地面に頭がつきそうなほどうなだれた。

「だけど、アルファは死んだのか？」ホワインが、口のはしから舌をのぞかせながらいった。「断言はできないだろ？」

「いいえ、できますとも！」マーサがうなった。「ラッキーが、道から落ちるところをみたんだから。あのあたりは波が激しいし、落ちて助かる犬はいないわ」

「アルファには、マーサとおなじ水かきがあっただろう」ブルーノが横からいった。

マーサは、水かきのついた自分の前足をみおろした。「あの波だもの。わたしだって、そう長くは泳いでいられない」

ムーンは、空をあおいで、長々と遠吠えをした。群れの犬たちも、つぎつぎとあとに続く。物悲しい声が、重なりあいながら崖の上をただよい、遠くにぽつんと建った塔の悲しげな遠吠えをかき消した。犬たちは身を寄せあって吠え、ラッキーは仲間のにおいを吸いこんだ。自分のにおいがみんなのにおいと溶けあうと、絆が強くなるような気がする。

やがて、遠吠えは少しずつ小さくなっていった。ムーンが平らな岩からとびおり、ウサギを食べていた場所に近づく。残っていた骨や、ふわふわした白い尾を集めはじめる。

「これを土に埋めて、アルファとスプリングへの敬意のしるしにしましょう。ふたりのことは埋めてあげられないから」

さっそく、ミッキーが霜のおりた砂を前足で掘りはじめ、ほかの犬たちも仲間に加わった。穴が十分に深くなると、ウサギの骨を中に落とす。スイートがうしろ足で土をかぶせ、スナップが前足で平らにならした。

ムーンがラッキーをみあげる。「みんなに少し話をしてくれないかしら。あなたは、こういうときになにをいうべきかわかってるから」

ラッキーは驚いた。そんなふうに思われていたなんて、意外だった。だが、頼みをはねつける気にもなれない。みんなが、期待のこもったまなざしを向けている。

平らな岩の上に乗り、ラッキーは群れに向かって話をはじめた。「勇敢なスプリングに別れを告げよう。いつも友だち想いで……群れに忠実だった。ずっと忘れないよ」

ダートが悲痛な声で遠吠えをした。デイジーがそばにいき、なぐさめようと、やわらかい耳に鼻をすり寄せる。

ほかの犬たちは、話の続きを待っている。ラッキーは口を開き、また閉じた。アルファのことにも触れなくてはいけないが、なにをいえばいいのかわからない。頭に浮かぶのは、〈野生の群れ〉と出会ったときに目にした、残忍なオオカミ犬の姿だった。思いやりにあふれたリーダーではなかった。だが、ここでそれをいうわけにはいかない。ラッキーは考えこみ、鼻をなめた。ぼくがどう思うかなんて関係ない——みんなに必要なのは、なぐさめなんだから。

「アルファに、別れを告げよう」ラッキーは、この場にふさわしい声でいった。「オオカミ犬だったアルファは、生まれながらのリーダーだった。勇ましく生き、りっぱに死んでいった」

土をかんでいるようなにがい気分で話しながら、しっぽがこわばらないようにこらえる。うそをついているのがばれてしまう。

仲間はラッキーのようすには気づかずに、そのとおりだと吠えたり、敬意をこめて頭を下げたりしている。

ラッキーが岩からおりると、スイートがそばにきて、小さな声でいった。「ありがとう。みんなのききたい話をしてくれたのね。アルファの魂がきいていたら、きっと感謝したはずよ」

まさか、とラッキーは思った――オオカミ犬は、自分より長生きしたぼくに腹を立てたに決まっている。

群れは、ウサギの骨を埋めた墓から離れようとしなかったが、ラッキーはひとりで崖のふちまで歩いていった。どこまでも続く、白い毛皮のような霧に目をこらす。オオカミ犬のことを思いだすと、複雑な気持ちになった。厳しく、がんこなリーダーだった。残酷な面もたくさんあった。ラッキーに裏切り者の烙印を押そうとしたことや、ストームにつらく当たったことは忘れられない。それでも、強く、賢い面もあった。

一度や二度、アルファが優しい顔をのぞかせたときもある。子どものころの話をしてくれたこともある。オオカミでもなければ犬でもないアルファは、傷つくことも多かっただろう。どここにいってもよそ者として疑われ、仲間として受け入れてもらえないのだ。

「さようなら、アルファ」ラッキーは、風にささやきかけた。「オオカミの精霊も犬の精霊も、あなたとともにありますように」

17 四匹の犬

霧におおわれた〈果てしない湖〉の上で、白い鳥が何羽も円をえがいて飛んでいる。厚く白い霧が分かれたところから、激しい波の立つ水面がのぞいていた。ラッキーは崖のふちに立ち、風に吹かれていた。目の前を、アルファのいかつい顔が幻のようにただよっていく。あのオオカミ犬に挑む勇気があったのはフィアリーだけだった。あのたくましい猟犬が生きていたら、いまごろ、群れはどんなふうになっていたのだろう。アルファとフィアリーのように強い犬は、めったにいない。ラッキーは、その二匹がどちらも死んでしまったことが信じられなかった。

そのとき、風の音にまぎれて鋭いうなり声がきこえ、ラッキーは、急いで振りかえった。スナップだ。前足を広げて立ち、肩を怒らせている。向かいあったムーンも、歯を食いしばってうなっていた。

ラッキーは、二匹に走りよった。「どうした?」

「スナップが生意気をいうのよ。わたしの権利に口を出すなんて！」ムーンが、激しい口調でいった。「フィアリーは群れの三番手だったわ。その連れ合いだったわたしも地位が高い。だから、この骨をもらう権利があるはずよ！」そういうと、ぶちのある毛皮がついた獲物のかけらに近寄ろうとする。ウサギの足の一部が、埋められずに残っていたらしい。スナップがうなり、ムーンの行く手に立ちふさがった。

ビートルとソーンはしきりに鳴き、母犬のそばにぴったりとついている。ほかの犬たちは、かたずを飲んでみまもっていた。

スナップは怒りに燃える目でムーンをにらみつけ、一歩つめよった。「残った獲物をひとりじめする権利なんて、だれにもないわ。群れはたくさんいるんだし、自分が特別だなんて思わないで。あたしだったら、どんなに地位が高くたって、獲物を盗んだりしない！」

「よくもそんなことを！　盗んでなんかいない――これをもらうのは、わたしの権利よ！」

ムーンとスナップは、同時に相手にとびかかった。ラッキーは、あやういところで二匹のあいだに割って入った。

「やめてくれ！」スナップをにらみ、ムーンの顔をみる。怒りで自分の心臓の音がきこえるほどだった。ムーンにかみつかないように、せいいっぱい自分を抑える。「地位ってなんの話だ？　冷静になってくれ！　アルファは死んで、フィアリーだってもういない。みんな、このつらい時期をどうにか乗りこえようとしてる。ムーン、どうしたんだ？　あんなにすてきな儀式をしてくれたのに、こんなふうに台無しにするなんて……」ウサギの骨をちらっとみる。「骨のかけらなんかで争うなんて。ほんとに、どうした？　子どもたちがどう思う？」

　ムーンは、白目がのぞくほど、ぱっと青い目を見開いた。かみつかれたかのようにとびすさり、空をあおいで悲しげに遠吠えをする。「ごめんなさい。こんなにいろんなことが起こって、すべてが変わってしまうなんて。もう、自分のことさえわからない。群れがどうなるのかもわからない。これからどうすればいいの？」

　ビートルとソーンは母犬に寄りそって顔をなめ、クンクン鳴いてなぐさめた。ラッキーは、ムーンがかわいそうになり、ため息をついた。あんなに責めるんじゃなかった――。

　スナップは頭を下げ、逆立てていた毛を落ちつかせている。群れの犬たちはムーンたちを遠巻きにみまもりながら、不安そうに視線をかわしている。スイートはうしろのほうに下がり、小さく首をかしげていた。

　デイジーが、ラッキーのそばにきて、せき払いをした。「けんかはよくないけど、ムーンのいったことは正しいのかも。群れに問題があるのはほんとでしょ。リーダーがいないんだもん。

ずっといないままじゃだめだと思うの」

ベラが顔をあげた。「そのとおりよ。規律がなくちゃ、獲物を分けるたびにけんかになるわ。それに、どこへ向かうかも決めなくちゃ。やっぱり、アルファを決めなきゃやっていけない」

「アルファを決めるって、仲間同士で戦うってこと？　そういう決まりなんでしょ？」

デイジーが、心配そうにしっぽを垂れた。

「戦いはしなくてもいいんだ」ラッキーが安心させると、デイジーはほっとしたようにしっぽを振った。「トウィッチがアルファになったときは、戦いの儀式をしただけで、本気で戦ったりしなかった。みんながトウィッチをリーダーに望んでいたから、戦う意味なんてなかった。群れの一匹が形だけ戦いを挑んで、すぐに降参した。そうやって、トウィッチをアルファにしたんだ」

「変なの」ダートがつぶやいた。ラッキーは、それをきいて考えこんだ。生まれたときから〈野生の群れ〉にいるダートは、べつの方法があることを、にわかには信じられないのだろう。

だが、スナップはすぐに賛成の声をあげた。毛がぼさぼさになった小さな体を振ると、こういった。「たしかに、ちょっと変だけど、いいんじゃない？〈大地のうなり〉が起こったあとだもの。できることをせいいっぱいやらなくちゃ」

ラッキーは、感謝をこめてスナップをみた。スイートは、目のはしでなりゆきをみまもっている。細いしっぽを軽く振っているが、顔は下を向いていた。話し合いに加わるつもりはないようだ。だが、群れの二番手だったスイートには、どの犬よりも発言する権利がある。意見をきこうとラッキーが口を開いたとき、ふいにブルーノが声をあげた。

「ラッキーがリーダーになればいい」ふだんは黙っている年長の犬は、黒い鼻先をあげていった。「長い道のりをここまで導いてくれたんだ。それに、だれよりも勇敢だった」けば立った茶色いしっぽで地面をたたく。

ミッキーが、そのとおりだと吠えた。「ブルーノはいつだっていい考えを思いつく！　前にテラーたちから逃げきったときだって、屋根の上に逃げるという名案を出してくれた。あいかわらず、さえてるよ」

ブルーノは誇らしそうに胸を張り、鼻をなめた。

ミッキーは、大きな茶色い目で、まっすぐにラッキーをみた。「きみがいなかったら、〈囚われの犬〉たちは、いままでやってこられなかった。狩りを教えてくれたのも、群れの中で生きる術も、きみが教えてくれたんだ。〈野生の群れ〉に加わってからは、不安なことも減った。それだって、きみの存在が大きかった」

ベラが近づいてきて、鼻を耳にすり寄せた。「あなたはアルファにぴったりだわ！」

ラッキーは驚いて声をあげ、群れをみまわした。

「ラッキーをアルファに！」デイジーがきゃんきゃん吠える。

ストームもいっしょになって声をあげ、はしゃいでぴょんぴょんはねた。「ラッキーをアルファに！」

仲間のにぎやかな声に囲まれて、ラッキーは思わずしっぽを振った。だが、アルファになるつもりはない。スイートをちらっとみると、険しい顔をしている。ラッキーは首をかしげ、断るつもりだということを目で伝えようとした。

サンシャインは、短い足でしきりにはねている。「ラッキーをアルファに！　ラッキーをアルファに！」

「静かにしなさい！」スイートが鋭い声でたしなめた。

マルチーズはびくっと身をすくめ、小さな耳をぺたりと寝かせた。

スイートはしっとしているのだろうか。ほんとうは、自分がアルファになりたいのかもしれない――前にそんな話をしたときは、乗り気なようにみえた。

ところが、意外なことに、スイートはおだやかな声で続けた。「びっくりさせてごめんなさい、サンシャイン。でも、少し騒ぎすぎよ。フィアースドッグにきかれたらどうするの？」

サンシャインはあわててうしろをたしかめ、ほかの犬たちも急に静かになった。

スイートは、長い首を上品にひねって、ラッキーのほうを向いた。「みんなはあなたを望んでいるわ。群れの支持を得たの。アルファになりたいと思う？」

腹を立てているようすはない。ラッキーは仲間の顔を順番にみつめながら、〈大地のうなり〉が起こるまで、街で暮らしていたことを思いかえしていた。あのころは、〈孤独の犬〉だった。仲間に残りものを分けたり、食べ物がみつかる場所を教えたりすることはあっても、それと、たくさんの決まりを守りながら群れで暮らすこととはちがう。オメガになったころの毎日を思いだすと、ぞっとする。アルファは、ラッキーをいじめるために雑用を押しつけてきた。ホワインは、意地の悪いにやにや笑いを浮かべてラッキーをながめていたし、〈囚われの犬〉だった仲間は、気まずそうに目をそらしていた。あのころの記憶は、いまでもなまなましく残っている。あんな仕組みを作るようなリーダーにはなりたくない。

あることを思いつき、ラッキーはまっすぐにすわった。「リーダーを決めない、というのはどうだい？　アルファが必要ないとしたら？」

「アルファが必要ない？」サンシャインは、スイートに注意されたことも忘れて声をあげた。

両耳をぴんと立て、その場でくるくる回りはじめる。「リーダーがいない群れなんて——本気でいってる？　だいじなことを決めてくれる犬がいなかったら、あたし、生きていけない！　おなかがすいて、死んじゃうかも！」

　ラッキーは、がまんして口をつぐんでいた。サンシャインは、小さな足で砂をけりあげながら、くるくる回りつづけている。「おなかがすいて死んじゃう！」かん高い声でくり返す。だが、しばらくすると、だまっているラッキーのようすに気づいた。きまり悪そうにしっぽをゆらす。ほかの仲間がいっしょに反対してくれないことがわかると、心細そうにひと声ないて、腹ばいになった。わき腹にくっついていた小枝をかじる振りをはじめる。

　ラッキーは口のまわりをなめて、ふたたび話しはじめた。「これからは、仕事をみんなで、いっしょにしたらどうだろう？」

　ベラが耳を立てた。「いっしょにするって？　それぞれの仕事は決まってるじゃない。狩りをする犬、見張りをする犬、野営地を整えるオメガ」

「そうじゃないんだ」ラッキーは説明しようとしたが、どう言葉にすればいいのかわからない。ふつうの群れには、アルファとオメガ、そのほかにもたくさんの階級があるが、いま考えていることは、その仕組みと大きくちがっている。足元をみながら考えこんだ。顔をあげると、みんなが待ちかねたように自分をみている。サンシャインも、忙しそうな振りをするのはやめて、こっちをみている。灰色の雲が流れてきて、冷たい雨粒がひとつ、ラッキーの耳に落ちた。

　ラッキーは首を振り、大きく息を吸った。「べつのルールを作るんだ。つまり……」困りはてて群れをみまわす。どういえばいい？　言葉がみつからない！　ラッキーはうつむいた。群れは身を寄せあうようにして集まり、仲間を押しのけて前に出ようとする者はいない。ふと、ぐるりと円をえがいて並ぶみんなの前足に目がとまった――ぱっと顔をあげる。「円だ！　円を作ればいい！」群れのあいだから、とまどったようなうなり声があがる。

「続けてちょうだい」スイートが、ためらいがちに先をうながした。

　頭の中にある考えが少しずつ言葉になってくると、ラッキーはだんだん興奮してきた。「四匹が、前足を片方ずつ地面の上に置いて、円を作るんだ。四匹だけでいい。その四匹が大事なことを決める。わかるかい？　たとえば、どっちに進むべきか決めるときには――同じ意見の犬が四匹集まればいい。どこで狩りをするのかも、四匹がいっしょに決めるんだ！　リーダーはいらないし、群れの全員に意見をいう権利がある。円を作ることができなかったら――賛成する犬が四匹集まらなかったら――その意見は通らない」

　気づけばラッキーは、舌を出してあえいでいた。みんなも賛成して大よろこびするはずだ。

きっと、理解してくれる。たった一匹の犬にすべてを決められなくてすむのだから。ところが、仲間はすわったまま動こうともせず、体をかく振りをしながら目をそらしている。

　ラッキーは、がっかりしてすわりこみ、ため息をついた。群れと話していると、ときどき、ジドウシャを追いかけているような気分になる――くたくたに疲れるだけで、あんなことしなきゃよかった、と後悔する。気持ちを落ちつかせようとあたりをみていると、崖のふちに沿ってのびる、じゃりの小道が目にとまった。「あの小道がみえるかい？　どこに続いているかたしかめてみないか？」犬たちはじゃりの道を目でたどり、またラッキーのほうをみた。「ぼくはたしかめてみたい」ラッキーはそう宣言すると、片方の前足を上げて、目の前の砂地にしっかりと置いた。「ほら、小道をたどるほうに一票入れた！　きみたちのうち三匹が同じことをしてくれたら、つぎに進む道が決まるんだ」

　とまどう犬たちの中、ダートだけは、ふに落ちたような顔でうなずいた。もう一度じゃりの小道をみると、「わたしも！」と声をあげながら、前足をラッキーの前足のとなりに置く。「一日中ここにいるわけにはいかないものね。フィアースドッグが近くにいるんだし。だから、道をたどるほうに一票！」

「わたしもよ」マーサが低い声でいって、たくましい黒い前足を砂の上に置く。ラッキーの目をみて、りっぱなしっぽを大きく振る。「わたしも意見をいったことになるの？」

「そのとおり」ラッキーは、二匹が理解してくれてほっとした。ほかの犬たちも、少しずつ理解しはじめたようだ。「賛成してくれる犬があと一匹いたら、リーダーなしで結論を出せる。すごいと思わないかい？」

ふいにうなり声がきこえ、毛が逆立った。ムーンが、腰を低く落として近づいてくる。「アルファはいつだって大事なことを決めてくれたわ。ほかの意見なんか必要なかった。そのほうがずっと簡単よ」

アルファが大事な決断を下せなかったことは何度もあった。弱気になると、とたんに逃げだした。黒い雲が迫ってきたときは震えあがり、なにひとつできなかった。だが、死んでしまった犬を責めるようなことはしたくない。ラッキーは、静かにこういった。「アルファはもういない」

「でも、ラッキーはここにいるわ」サンシャインが、こらえきれないように声をあげた。「お願いだから、ラッキーが決めてよ」

「そのほうが簡単よ」スナップがうなずく。「わざわざ四匹で円を作るなんて、急いでるときは大変だわ」

ラッキーは、暗くなっていく空をみあげた。〈天空の犬〉たちがとびはね、雨粒を落としている。雨あしはいつのまにか強くなり、少しずつ毛をぬらしていく。はやく移動したほうがいい。「たしかに、ぼくがすべてを決めてしまえば簡単だ」ラッキーはスナップの目をまっすぐにみた。「きみたちも楽だと思う。だけど、このまま一生、だれかに指図されるような暮らしを続けたいのか？　それじゃ、ニンゲンと暮らす〈囚われの犬〉といっしょだろう？」サンシャインを厳しい目でみる。「必死に戦って生きのびてきたのに、だれかの言いなりでいいのか？　考えることも、食べるものも、眠る時間も、起きる時間も、なにもかもぼくに指図してほしいのか？　そのせいで飢え死にしそうになったとしても？　すきま風に吹かれながら眠って、凍えながら目を覚ますことになっても？」

「地位の高い犬になればちゃんと食べられるわ」ムーンが反論した。

「地位の高い犬は、もっと思いやりを持つべきなんだ」ラッキーは、かっとなって鋭く言いかえした。雨がぱらぱらと額にあたり、ぬれた毛が少しずつ重くなっていく。「だれかに仕えるような暮らしをしたいかい？　そんなの、つまらないだろう？　だけど、みんながほんとうに望むなら、ぼくがアルファになってもいい。なにもかも決めたっていい。きみと、ソーンと、ビートルと、群れの全員のかわりに、ぼくがすべてを決める——ほんとうにそれが望みなら」

ムーンは、青い目で子どもたちをみて、それから、マーサとラッキーとダートの前足をみた。三匹の前足は砂の上にしっかりと置かれている。とうとうムーンは、迷いを振りきるように体を振った。三匹に近づくと、白い前足をラッキーの前足のとなりに並べる。「わたしも、じゃりの小道をたどるべきだと思う」

ラッキーは、明るい声で吠えた。「これで決まりだ！」うれしくて自然に体がはね、ムーンに鼻をすり寄せながらしっぽを勢いよく振った。「じゃりの道をたどって、どこに続くのかみてみよう。もしかしたら、あたたかくて乾いてて、食べ物がたくさんあるところかもしれない。きっと、フィアースドッグからも隠れられる！」

ムーンも賛成するように吠え、しっぽを振りはじめた。「わたしたち、自分の頭で進むべき道を決めたのね」

「ほら、いい気分だろう？」ラッキーは、ムーンのやわらかいうなじの毛をなめた。

サンシャインは急に元気になった。「あたしたち、自分で大事なことを決めたのよ！　アルファなんかいらないわ！」やっと理解できたのか、うれしそうに吠えている。

一歩ずつだ――ラッキーは声に出さずにつぶやき、じゃりの小道に向かった。一歩ずつでも、群れはちゃんと前に進んでいる。アルファになりたくないのは本心だが、それだけではなく、みんなが自分の頭でものごとを考えるようになってほしい。とっさの機転や、知恵（ちえ）を身につけてほしい。フィアースドッグたちは乱暴な獣（けもの）たちの集まりだ。だが、この犬たちは、もっといい群れになれる。もっと賢（かしこ）い群れになれる。

18 分かれ道

群れはじゃりの小道を小走りに進んでいった。ラッキーは、みんなに進む方向を決めさせるために、一番うしろに下がっていた。すぐ前には、ビートルとソーンにはさまれたムーンがいる。ミッキーがうれしそうに吠え、マーサのわき腹に頭をすり寄せた。

「こんなに世界が広いなんて知らなかったよ。〈囚われの犬〉だったころは想像もしなかった」

ミッキーがそういってあたりをみまわしたので、ラッキーのいるところからは、白と黒の横顔がみえた。「街のことだって、ろくに知らなかった。〈大地のうなり〉があってからは、森にもいったし、湖にもいったし、自分の背丈くらいの草が生えているところにもいった。とうとう、こんなところにもきた。全部が砂におおわれていて、〈大地の犬〉の茶色い姿がちっともみえない場所があるなんて」

「なにも知らなかったわ」マーサが答える。「それも当然よね。ニンゲンたちはときどき街の外に連れていってくれたけど、ずっとジドウシャに乗ってたもの。どこを進んでるのかもみえなかったわ。うしろの座席でおとなしくしてなくちゃいけなかったから」

「きくだけでぞっとするわ」横できいていたダートが、おびえたように鳴いた。「ジドウシャなんて、入るのもいや」

「慣れれば平気よ」マーサがいう。「すてきなところに連れていってもらえるのよ。大きな庭みたいで、林や小川がある場所とかね。街なかだと絶対に首輪は外してもらえないけど、そこなら、首輪もヒモも外してもらえるの。ジドウシャの中でちょっとがまんするくらい、なんてことないわ」

ラッキーのいるところからは表情がみえなかったが、ダートはうめくような声を出した。

「ヒモにつながれっぱなしだなんて、たえられない……」

「ええ、そうね」マーサはうなずいた。「わたしだって二度といやよ」

みんなの話し声をきいていると、ラッキーはうれしくなった。つらいできごとが続いても、群れはちゃんとまとまっている。アルファがいなくたって、きっと助けあいながら生きのびていける。だれかに率いてもらわなくてもいいんだ。ラッキーは、軽い足取りで、ゆるやかな上り坂になったじゃり道を歩いていった。道は少しずつ崖（がけ）から離（はな）れ、陸地のほうへと続いている。

低い木々は風をさえぎってくれた。〈果てしない湖〉には雲が出ていたが、このあたりは気持ちよく乾いている。群れは、自分たちの力で、正しい道を選んだのだ。

考えこんでいたラッキーは、目の前にいたサンシャインに気づかず、あやうくぶつかりそうになった。いつのまにか、群れが立ちどまっている。

「どうした?」ラッキーは耳を立ててたずねた。

前のほうでスイートと話していたベラが、返事をする。

「道が分かれてるの。どっちにいけばいいかわからなくて」

近づいてみると、たしかに、小道がふたまたに分かれている。片方は崖に向かって曲がっているが、もう片方は陸地に続いていた。一本目の道をみて、ラッキーは身ぶるいした。吹きすさぶ風や、重く垂れこめた雨雲を思いだしたのだ。陸のほうに進んで、崖から遠ざかったほうがいい。またしても、〈果てしない湖〉に落ちていくオオカミ犬の姿や、波間に浮かぶスプリングの体が目に浮かぶ。あのとき、スプリングの片目は、垂れた耳に隠れていた。あんなにつらい記憶からは遠ざかりたい。

ベラは、助けを求めるような目をしている。「どうすればいい?」

ラッキーは口を開きかけ、すぐに思いなおした。だめだ——指示を出せば、アルファになるのと変わらない。

　サンシャインが、かん高い声で沈黙をやぶった。「あたしは、こんなところ離れたい。くさい水草はもううんざり！　それに〈天空の犬〉たちが、ずっと〈果てしない湖〉に雨を降らせてるし。きっと、世界じゅうの水が、あの湖から流れてきてるのよ。あたし、木が生えてるほうにいきたい。地面も乾いてるし！」

　すると、ストームがサンシャインの前に進みでて、群れに向かって話しはじめた。「雨なんかどうだっていいでしょ？　崖のそばの道をいって、あの町に引きかえさない？」

「フィアースドッグがいるのに！」ダートがくんくん鳴いた。

「そうよ！　でも、あたしはもう、あんな群れから逃げまわるのはいや。あたしたちがもどってくるなんて、思ってもいないはずよ。こっそり近づけば、不意打ちできるわ」

　ラッキーは、とんでもない計画だと思ったが、がまんして口をつぐんでいた。群れに決めさせなくては。

「だから、あたしは崖の道に一票」ストームは続けた。「崖のふちをたどって町にもどりたい」じゃりの上に勢いよく前足を置く。「あと三匹必要なんでしょ？　賛成ならこっちにきて」

　だが、ムーンは遠吠えをした。「フィアースドッグのところにもどる、ですって？　なにを考えているの？」

ミッキーも茶色い目を見開いた。「どうして、わざわざ敵を挑発しにいくんだ？」

「逃げまわるのはもういや！」ストームはうなった。「あいつらが襲ってこなかったら、アルファだって死なずにすんだのよ。かたきを討たなきゃ！」

ラッキーは、とうとううなり声を抑えきれなくなった。ストームはアルファを憎んでいた。そして、助けを求めていたオオカミ犬を見殺しにした。なにが、〝かたきを討たなきゃ〟だ！ブレードと戦うための口実に決まっている。

運よく、ストームの言葉に腹を立てたのは、ラッキーだけではなかった。マーサがあきれたようにすわりこみ、くちびるを震わせて激しく吠える。「ばかなこといわないで！　少しは群れの安全も考えてちょうだい。ミッキーのいうとおりよ。あんな野蛮な連中、わざわざ挑発しなくたっていいでしょう」

それをきいたとたん、ストームは毛を逆立て、肩を怒らせてマーサをにらみつけた。「あたしのきょうだいは、〝野蛮な連中〟の一員なの。ファングがあたしたちをかばってくれたこと、忘れたの？　この群れの仲間だったこともあるのに！　ブレードから救いだしてあげようって思わないの？」

ホワインが口を開き、小声でいった。「ファングのことなんかどうだっていい。アルファのいっていたとおり、ひとりでフィアースドッグの群れにもどればいいじゃないか――おれたちを道連れにするな」とびだした目で、仲間の表情をうかがう。「おれは、ストームにはあの群れがお似合いだと思う」そういうと、短い前足をじゃりの上に置き、ほかの三匹が加わるのを待った。

「卑怯者のくせに！」ストームはひと声吠えると、牙をむき出してホワインに襲いかかろうとした。ラッキーは息をのんだ――ストームにかかれば、ホワインはひとたまりもない。

そのとき、マーサがすばやくホワインの前にとびだし、向かってきたストームを横につきとばした。子犬の体が茂みにぶつかり、ぱっと木の葉が舞う。ホワインはスイートのうしろに逃げこみ、おびえて震えている。

ストームは体を起こすと、木の葉をふるい落とした。怒りにわれを忘れている。

「よくもやったわね！　許さない！」

あっけにとられたラッキーの目の前で、ストームはマーサに突進した。腹の下をくぐりぬけてすばやく向きなおり、背中にとびついて爪を肩に食いこませる。

サンシャインはおびえて激しく吠え、群れの犬たちは立ちつくしている。ストームが、マーサの耳にかみつく。

マーサは悲鳴をあげて振りはらおうとしたが、ストームは、両方の前足でがっちりと首をつかんでいる。どれくらい深く牙を立てているのかはわからない。だが、怒りにぎらついた目をみるかぎり、浅い傷ですむとは思えなかった。マーサが、ふたたび振りはらおうとすると、ストームは、かみついた口にいっそう力をこめた。とうとうマーサは、うしろ足で立ちながら勢いよく首をのけぞらせ、ストームを振りおとした。フィアースドッグは地面に転がると、すばやく体勢を立てなおし、うしろ足に重心をかけた——攻撃の体勢を取っている。驚いたマーサが声をあげてわきへ逃げた瞬間、ストームは前にとびだした。茂みをつきぬけた体が、そのまま崖のふちに向かっていく。

「危ない！」ラッキーは叫んだ。

フィアースドッグは、すぐ先に崖があることに気づいて、ぞっとしたように吠えた。必死で地面を引っかくが、勢いのついた体は止まらない。片方の前足が崖のふちからすべり落ち、小石が、はるか下の湖へばらばらと転がっていく。ラッキーはとびだし、子犬の首をくわえて陸地のほうに引きずっていった。子犬の体をハリエニシダの茂みへ乱暴に放り、地面をにらんだまま荒い息をつく。いまは、ストームの顔もみたくない。

群れのあいだに心配そうなざわめきが広がったが、動こうとする犬はいなかった。とうとう茂みがゆれて、ストームがはい出してきた。深くうなだれてしっぽを垂れているが、マーサのそばを通るときには、目つきが鋭くなった。子犬は、ラッキーのそばにすわった。

「〈精霊たち〉の名にかけて、いまのは、なんのつもりだ？」ラッキーは、厳しい声でいった。「マーサはきみにとって母犬も同然じゃないか――いままでずっと、ひたむきに支え、守ってきた。なのに、どうして襲ったりした？」怒りで声がかすれ、いまの騒動が信じられずにわき腹が震える。崖を振りかえると、たったいま起こりかけた最悪の事態を想像してしまう。

ストームは、自分が死にかけたことに気づいているのだろうか。あたりには、うっすらと霧がかかりはじめていた。ラッキーは、荒れた土地をみまわして、崖に向きなおった。左に向かうじゃり道の先に目をこらすと、くすんだ白い塀がみえた――ニンゲンの家があるらしい。

「あそこで休んで、これからどうするか考えよう」そう提案すると、仲間は口々に賛成した。ラッキーは気が進まなかったが、群れを率いて建物に向かった。じゃりを踏む音がして振りむくと、ストームが近づいている。子犬はラッキーと並んで先頭に立ち、胸を張って歩きはじめた。すました顔で鼻をあげ、耳をぴんと立てている。

ラッキーは目を疑った。どうしてこんなに得意げなのだろう。そのとき、理由に思いあたった。これから向かうニンゲンの建物は、ストームがいきたがっていた崖のふちにあるのだ。怒りがふつふつとわいてくる。子犬の耳にかみついてしまわないように、必死で自分を抑える。ストームは、ラッキーの話をまったくきいていなかったのだ。

ラッキーは大きく深呼吸をしたが、腹が立って口もきけない。気づけば、崖のすぐそばにきている。手前にニンゲンの建物があり、そのまわりには低い木が何本か生えている。建物のあるあたりには、木と針金の柵がめぐらせてあった。柵はところどころなくなっていて、すきまから、切りたった崖がのぞいている。〈果てしない湖〉は、はるか下だ。壊れた柵は、〈大地のうなり〉の名残にちがいない。ラッキーはそう気づいて、急に心配になってきた。ここは、ほんとうに安全だろうか。壁には細いひびがいくつも走り、のぞき穴のガラスは割れている。だが、街の建物にくらべれば、そこまでひどく崩れていない。ドアは倒れて、入り口がぽっかりと開いていた。

「ここに入るのか?」群れのだれかが不安そうな声をあげる。ラッキーは、おそるおそる建物の中に足を踏みいれた。

入り口の先には、がらんとした部屋があった。部屋中にイスが転がっていて、足が四本ついた縦長の台もいくつかある。街のショクドウにも、これとそっくりの台があって、ニンゲンたちはそこで食事をしていたものだ。だが、この部屋に食べ物があったのは、ずっとむかしのことらしい。ラッキーは、においをかいでがっかりしたが、驚きはしなかった。なにより、古びた木の床は乾いていて、吹きすさぶ風や冷たい霧から守られている。

「じゅうたん！」デイジーが歓声をあげてラッキーのわきをすりぬけ、部屋のはしに敷かれているふわふわした毛皮のようなものに走りよった。「ニンゲンのおうちにあったやつとおなじ！　あたたかくて、気持ちがいいの」

　群れはデイジーの後を追って、じゅうたんの上に集まった。ラッキーは、やわらかいじゅうたんに足が沈む感覚に、思わずため息をついた。フィアリーを探しに前の野営地を出てから、心地よくくつろぐのはこれが初めてだ。ムーンはさっそくビートルとソーンの体をなめはじめている。ミッキーはマーサの耳をなめて、元気づけようとしていた。マーサはまだ、ストームに襲われたショックから立ちなおっていない。

　サンシャインがせき払いをして、声をあげた。「崖は危ないわ。いつ足を踏みはずすかわからないでしょ？」ストームにきっとにらまれ、目をふせる。「寒いし、食べるものもないし」大きく息を吸うと、勇気を振りしぼって顔をあげた。「あたし、やっぱり、陸に向かったほうがいいと思う」そういうと、汚れた白い前足を差しだし、じゅうたんの上に置いた。「みんなはどう思う？」

するとそのとなりにマーサが、水かきのついた前足を置いた。がっしりした足はサンシャインの頭と同じくらいの大きさがある。「そのとおりよ」マーサは、ストームの鋭い目をまともに見返していった。しっぽをそらしてめいっぱい振るサンシャインをみて、ラッキーは胸があたたかくなった。めずらしく自分の意見を認めてもらえて、うれしくてたまらないらしい。

ほかの犬たちは、仲間の表情をうかがいながらためらっている。そのとき、ビートルがソーンに耳打ちした。二匹が並んで前に進みでて、それぞれの前足をじゅうたんの上に置く。

ムーンがはっとして、耳をうしろに寝かせた。「ふたりとも、まだ小さいわ。こういうことには早いの」そういって二匹をまねきよせようとしたが、ラッキーはそれをさえぎった。

「決める権利はみんなにある。だれでも意見をいえるし、年は関係ない」

「霧が、ちっとも晴れないでしょ」ソーンが、まだ幼い声でいった。「あぶないし、すごく寒いし。もうひとつの道をいくほうが安全だと思うの。あと、ビートルが、ウサギのにおいがしたって」

ビートルはうなずき、ソーンは差しのべた足にいっそう力をこめた。

「これで決まりだ」ラッキーはいった。「霧が晴れたら、陸に向かう道を進もう。いまはまだ、足元のじゃりもみえない。外に出るのは危険すぎる。いまのうちに休んでおこう」

ソーンとビートルははしゃいで声をあげた。自分たちで群れの行き先を決めたことが、誇らしくてしかたがないようだ。サンシャインもうれしそうに息をはずませ、ふさふさしたしっぽをしきりに振りながら、くるくる円をえがいている。

マーサはあくびをしながら体を起こし、細長い台に歩いていった。「台の上になにかあるわ」

「食べられそう？」ベラがあとを追う。

「わからない」マーサはけげんそうな顔で、台のはしに両方の前足をかけた。とたんに、台ががくんとかたむき、上にのっていたガラスの容器が転がりおちた。中に入っていた小さな白いかけらが、ざっと床に散る。マーサは、大きなピンク色の舌で、白いかけらをいくつかなめた。

「なにかしら……」

群れの犬たちは白いかけらにわっと集まり、先を争うようになめとった。ラッキーも、においをかいでみた。木の実に似た甘いにおいがする。口に入れて、顔をしかめた――胸が悪くなるほど甘い。だが、仲間は気にしたふうもなく、がつがつ飲みこんでいる。少しするとスナップは急に部屋を駆けまわりはじめ、イスをけ倒しながらきゃんきゃん吠えた。ビートルとソーンがあとを追い、デイジーもとんだりはねたり落ちつかない。

みんな、どうしたんだ？　ラッキーは首をかしげた。甘いかけらで、いきなり元気になったみたいだ。興奮して、休む気にならないらしい。ラッキーはおかしくなって、まわりをはねまわる仲間をながめていた。そのとき、ストームがおずおずとそばにきた。「さっきは、あんなことしてごめんなさい。かんしゃくを起こすつもりはなかったの」

ラッキーは、かたい表情でいった。「ほんとうに反省してるのか？」

ストームは、傷ついたような顔でいった。「ほんとよ。怒ったりしちゃいけなかった――あたしが悪かったの」

ラッキーはうなずいた。「あやまる相手はぼくじゃない。マーサだ」

「わかった」

二匹は並んで、群れとじゃれ合っているマーサを目で追った。

ラッキーはストームの横顔に視線をもどし、子犬がいきなり仲間を襲ったわけを考えた。最近は、大変なことが続いた――ショックと悲しみで、神経がさかだっていたのかもしれない。

ラッキーは表情をやわらげ、こわばっていた肩の力をぬいた。「ほかに、話しておきたいことはあるかい？」

ストームは、遊んでいる仲間のほうを向いたまま、口のまわりをなめた。「やっぱり、あたしは崖の道を引きかえして、町にいきたい。ブレードはファングを手なずけてるし、あたしのことも連れていこうとしてる。あたしたちの目の前でウィグルを殺したくせに。なにが目的なのかわからない。でも、それをつきとめたいの。この群れには強い戦士がたくさんいるし、この先ずっと逃げつづけるわけにもいかないでしょ？」

「そうなのかもしれない――。フィアースドッグたちが、ここまで必死にきみを奪いかえそうとする理由が、いまいちよくわからないんだ。だけど、むやみに挑発するのは危険だよ」ラッキーは、ふと暗い声になって続けた。「みんながみんな、生まれつきの戦士じゃないんだ」はんとうは、こういいたかった――ぼくたちは、きみとはちがう。だが、ラッキーはすぐに思いなおし、心の中で首を振った。たくましい小さなフィアースドッグをちらっとみる。気性の荒い一族に生まれついたからといって、残酷な犬だと決めつけることはできない。

大騒ぎしていた犬たちは、ようやく落ちつき、じゅうたんの上でうたたねをはじめている。〈太陽の犬〉は、低いところにおりてきていた。割れたガラスから外をみると、暗くなりはじめていた。

「おねがい、ラッキー」ストームが小さな声でいった。

ラッキーは、すがるような子犬の顔をみた。「わかった。夜のあいだは休んで、明るくなったらふたりで偵察にいこう。みんなが起きる前に。あとをつけられていないかどうかもたしかめておきたい。だけど、約束してくれ。先にぼくがようすをみにいくから、それまではおとなしくしてるんだ。絶対に、ひとりで敵を襲うな！　約束できるかい？」

　ストームは、おとなしく頭を下げた。「約束する」

「それから、夜のうちにマーサにあやまるんだ。さもないと出発はしない」

　ストームは上目づかいにラッキーをみて、おかしそうにいった。「命令ばっかりでアルファみたい！」

　ラッキーは牙をむく振りをした。「あやまるのか？　あやまらないのか？」ストームは、急いでマーサのそばに走っていった。

「さっきはごめんなさい。マーサにかみついたりして」

　マーサはよそよそしい態度ですわり、そっけなく返した。「ええ、そのとおりね」

　ラッキーが子犬のつぎの言葉を待っていると、ふと、冷たくぬれた鼻が耳に触れた。甘いかおりが、ふわっとただよう。となりにすわったスイートをみて、ラッキーの胸は小さく高鳴った。ぬくもりが伝わってくる。

　スイートは、静かな声でいった。「群れのためにいろいろしてくれて、感謝してるの。円を作って大事なことを決めるなんて……すごく新鮮だもの」

ラッキーはうれしくなり、小さな声で返した。「本気で思ってるかい？」

スイートはうなずいた。「とにかく、やってみましょう。試してみる価値はあるわ。もしうまくいかなかったら、そのときリーダーを決めればいいんだから」

ラッキーは首をかしげた。やっぱり、アルファになりたいんだ――。

スイートはほっそりした鼻先をあげて続けた。「わたしたちのどちらかがアルファになったら、もう片方はベータになるかもしれないわね」一瞬、二匹のわき腹がくっつき、ラッキーはスイートのあたたかく甘いにおいに包まれた。

「群れを率いるなら、やっぱりスイートだよ」ラッキーは、ふざけてしっぽを軽く振った。「だけど、アルファみたいないばり方はやめてほしいな」

スイートは、驚いてラッキーの顔をみた。だが、愉快そうな表情に気づくと、じゃれついて耳を軽くかんだ。「からかわないで！」舌で耳の根元をくすぐられ、ラッキーは身をよじった。「逃がさないわよ！」スイートが、耳をはさんだ牙に軽く力をこめる。

「ほんとかい？」ラッキーは吠えた。だが内心では、あたたかい息も、かまれた耳のかすかな痛みも、心地よく感じていた。鼻先を相手のほおに押しつける。「ぼくのベータになりたいくせに！」

「ええ、そうね！」スイートが押しかえす。戦いの体勢を取る振りをして、前足を広げて立つ。

「ああ、偉大なラッキー様、なにをお手伝いいたしましょう？　こんな感じ？」床をけりラッキーを押したおして顔をなめる。ラッキーはくすぐったくてきゃんきゃん吠え、スイートのわき腹をそっとかんだ。二匹は吠えながら、広々とした部屋を走りまわった。ほかの仲間は寝そべって休んでいる。やがて、二匹は荒い息をつきながら、木の床に体を投げだした。

　スイートは、ほっそりした足で立ちあがり、じゅうたんに歩いていった。群れのほとんどは眠っている。ラッキーはスイートのとなりにすわり、目を閉じて、うっとりするようなにおいを吸いこんだ。

「おやすみなさい」スイートが小声でいう。

　ラッキーがわき腹を押しつけても、スイートは体をはなさない。「おやすみ」ラッキーは、となりに頭をならべてため息をつくと、心地のいい眠りに落ちていった。

19 敵地へ

ラッキーは雪の中に倒れこんだ。立ちあがろうとしても、足が岩のように重い。悲鳴がきこえて顔をあげると、大勢の犬が争っている。もつれ合って黒いかたまりのようになり、ときどき、〈月の犬〉の光を浴びて牙が光る。ラッキーは背筋がぞくっとして、息ができなくなった。吹雪に目をこらすと、がっしりした猟犬が、二匹の小柄な若い犬に襲いかかろうとかまえているのがみえた。あごから、つばがあぶくになって垂れている。そばでは、母犬が自分の子どもの首に、ふかぶかと牙をつきたてている。雪に隠れてよくみえないが、その母犬の顔には見覚えがあった。やめてくれ、と叫ぼうとしたが、声が出ない。

なぜ、こんな争いになったのだろう。ラッキーは、震える足で、どうにか重い体を起こした。氷のかけらが渦を巻きながら降ってきて、地面を流れる血に溶けていく。

頭の上で低いうなり声のような音がして、空をみあげた。みると、街にいたころニンゲンたちをのせて上空を飛んでいた大きな鳥が、すぐそばに近づいている。あたりには、翼が空を切る音が響きわたっている。ふいに、鳥の体が光を放ち、戦っている犬たちを明々と照らしだした。ラッキーは息をのんだ——牙や爪が相手の体に容赦なく食いこみ、引きさき、えぐり、目はらんらんと光っている。もう、耐えられない。首をのけぞらせて遠吠えをしようとしたが、声が出ない。暗い空に稲光が走り、雷鳴がとどろいて空気がびりびり震えた。怒りくるった〈天空の犬〉たちが暴れ、吹雪はだんだん、あたりがみえないほど激しくなっていった。ひざがくずおれて、ラッキーはふたたび倒れこんだ。名前を呼ぶ声がするが、返事ができない。のどの奥に、クモの巣が張っているような感じがする。

ラッキー？　ラッキー——。

✷

「ラッキー……？」

ラッキーは、ぱっと目を開けた。温かくぬれた舌が、鼻面をくり返しなめている。スイートの顔がすぐそこにあった。体じゅうがこわばり、歯をきつく食いしばっていたせいで、あごがずきずき痛む。また、あの夢だ——。ラッキーは大きく息を吸い、体から力をぬいた。今夜の夢はとりわけなまなましかった。

「ウサギを追いかける夢でもみてたのかな」ラッキーはスイートに鼻を押しつけると、明るい声を作り、どうかごまかせますように、と祈った。

スイートはラッキーをじっとみつめ、視線をそらそうともしない。「いいえ、ちがう」かすれた声でいう。

不安になり、うなじの毛がかすかに逆立った。もしかして、寝言を叫んでしまったのだろうか。恐ろしい夢の一部を話してしまったのだろうか。あたりをみまわすと、自分がニンゲンの建物のなかにいることを思いだした。外はまだ暗く、〈月の犬〉の光が、ガラスの割れたのぞき穴から射しこんでいる。ほかの犬たちは、じゅうたんの上で眠っていた。小さないびきがきこえる。ぎゅっと体を丸めたストームの姿もみえた。ほかの仲間は起こさずにすんだらしい。

スイートは、上品な顔をこわばらせていた。「わたし、みてたの。ひどい夢をみていたんでしょう？　口が動いていたけど、声は出ていなかった。いいえ、声が出せないみたいだった。でも……」

ラッキーは、恥ずかしくて体が熱くなった。息をつめて、スイートが話を続けるのを待つ。自分は、〈アルファの乱〉のことを――恐ろしい戦いのことを――声に出してしまったのだろうか。

スイートは、じゅうたんのはしで眠っている、小さなフィアースドッグを振りかえり、またラッキーに向きなおった。

「ストームの名前を呼んでいたわ。何度も何度も。『ストーム、ストーム、ストーム』って。声は出ていなかったけど、遠吠えをしていた。あの子の夢をみていたの？　なにがあったの？」

ラッキーは耐えきれなくなって目をそらし、ぽっかりと開いた入り口をみた。弱い朝の光が射しこみはじめている。もうすぐストームを連れて出発しなくては。フィアースドッグの群れを偵察しにいく約束だ。伸びをして、立ちあがる。とたんに体がゆれ、はじめて足が震えていることに気づいた。

スイートが急いで立ち、ラッキーの行く手をさえぎろうとする。「待って。どんな夢をみていたのか教えてちょうだい」そわそわと鼻をなめている。「前にもあったんでしょう？　〈グレイト・ハウル〉で倒れたときも、おなじ夢をみたんじゃない？　いつもおなじ夢なの？」

ラッキーは否定しようとしたが、その気力がなかった。なにより、スイートには二度とうそをつかない、と心に決めたはずだ。きょうだいのベラをべつにすれば、スイートのことは、群れのだれよりも長く知っている。ラッキーは、眠っている群れをみまわした。むかしから〈野生の群れ〉だったムーンやスナップたち。そして、むかしは〈囚われの犬〉だったミッキーやブルーノたち。あんなにいろいろなことが起こったというのに、それでも、仲間はいっしょにいる。乗りこえてきたたくさんのことを思うと、胸があたたかくなった。みんなに危険が迫(せま)っているなら、スイートにも伝えておかなくては。助けてもらうときがきたときのために。

ラッキーはため息をつき、もう一度じゅうたんに腹ばいになって、そろえた前足に鼻をあずけた。夢の記憶(きおく)がよみがえり、ぞくっとする。抑(おさ)えようとしても、勝手に鳴き声がもれる。

スイートは、となりで腹ばいになり、ささやくような声でいった。「はじめから話して」

こうしてラッキーは、仲間の小さな寝言をききながら、〈大地のうなり〉の直後からみるようになった夢のことを話した。「どの夢も少しずつちがってる。だけど、どの夢でも、かならず戦いの気配がするんだ。ひとりで氷の上に立ちつくしているときもあるし、今夜みたいに、吹雪(ふぶき)の中で大勢の犬が争っているときもある。いつも、すごく寒くて、血のにおいがする」

スイートは身ぶるいして、わき腹を押(お)しつけてきた。

ラッキーは大きく息を吸った。「あれは、犬たちが嵐(ストーム)みたいに戦う――〈アルファの乱〉だ」この言葉を口にするのははじめてだ。とたんに、胸が騒(さわ)いだ。声に出せば、夢が現実になるかもしれない。言葉には、悪夢を現実にする力がある。ラッキーは首を振(ふ)り、不安を頭から追いやった。スイートをみると、驚(おどろ)いたことに、おびえたような顔をしている。

「きいたことがあるわ。いつだったかしら……子犬のころかもしれない。犬たちが嵐のように争い、〈ライトニング〉と〈精霊たち〉が戦争をはじめるんだ、って。まさか、あなたがその戦いを夢にみるなんて」スイートは首をかしげた。「いったい、どういうこと？」

ラッキーは、毛が逆立った。「わからない。だけど、このひげの一本一本が、うなじの毛の一本一本が、あれはただの夢なんかじゃないって叫んでる――危険が迫ってるんだ。ぼくたちの暮らしを永遠に変えてしまうような戦いが起ころうとしてる」

「それって、フィアースドッグたちとの戦いのこと？」

ラッキーは口のまわりをなめた。「もっと大きい。そりの合わない群れ同士の争いじゃない。この戦いが、未来を変えてしまうかもしれない」鼻の奥には、まだ血のにおいが残っている。「恐ろしい戦いになると思う。きっと、だれかが死ぬ」

スイートは、ぴくっと耳を立て、眠っている仲間を振りかえった。「みんなも巻きこまれるの？　危険だわ」

ラッキーは目をかたくつぶり、記憶をたどろうとした。だが、思いだす夢は、どこかぼんやりとしている――渦巻く白い空、ぎらつく牙、体に食いこむ爪。もどかしくてたまらない。

「わからないんだ。ごめん」

スイートは、ラッキーの鼻をなめた。「いいの。話してくれてありがとう。そんな戦いが現実に起こるなら、いっしょに心構えをしておかなきゃ」一瞬、口をつぐみ、耳を震わせる。

「ストームには夢の話をした？」

「いいや。あの子は、テラーと戦ったあとに、自分であの名前を選んだ。まるで、悪夢のことを知っているみたいに」

「あの子、戦いのことをなにか知ってるの？　きいてみたほうがいいかしら」

ラッキーは群れをみまわした。むこうには、マーサの大きな黒い影、ベラ、ミッキー、ダート、スナップ――顔をしかめ、さっと立ちあがる。ストームの姿がみあたらない。

スイートがその視線を追った。「ストームはどこ？」

ラッキーはごくっとつばを飲んだ。ようすを見ようととびだしたはずみに、スイートの体を軽くつきとばしてしまった。「ごめん。早く探して連れもどしてやらなきゃ――あの子は、まだほんの子犬なんだから」ひとりで出発したにちがいない。自分が追いつくより先にブレードと出くわしたら、いったいどうなるだろう？

入り口から、霧が細く流れこんでいる。ラッキーは急いでそちらに向かった。

「どこへいく気？」スイートが心細そうな声をあげる。

「ストームを探しにいく。あの子は、きっとむちゃをやる」ラッキーは、おびえたような表情のスイートをなだめようと、そばにもどった。

スイートが顔をくもらせる。「まさか、ブレードと戦うつもりなの？　ひとりで？」

ラッキーは、返事のかわりに耳を寝かせた。「みんなにはなにもいわないでほしい。心配させたくないんだ。できるだけ早くストームを連れてもどるよ」

スイートはため息をついた。「わかった。でも、急いでね」

ラッキーは感謝をこめて鼻を押しつけ、くるっときびすを返して入り口に走った。外は寒く、霧がかかっている。崖のふちが、夜明けの光にぼんやりと照らされている。〈太陽の犬〉が目を覚まそうとしているのだ。

ラッキーは、霧の中に目をこらした。ストームのにおいは、まちがいなくあの町に続いている。崖に沿って歩いていくうちに、においはさらに強くなっていった。胸が苦しくなり、心臓がどきどきいいはじめる。もっと急ぎたかったが、霧の中で走れば、崖から足を踏みはずすかもしれない。ごつごつした岩の上を苦労して歩きながら、〈果てしない湖〉が岸に打ちよせる音に身ぶるいした。

急な下り坂を、一歩ずつ慎重におりていく。水辺の砂地と町がみえてきたころには、緊張で前足がずきずき痛んでいた。

水ぎわまでくると霧が薄くなった。雲の中をつきぬけたような気分だ。白い波が砂をなめている。町はずれには、砂におおわれた建物がかたまって建っていた。ふいに吠え声がきこえ、ラッキーは耳を立てた。身を低くすると、風上を避けながら、フィアースドッグの野営地に忍びよっていった。

においをかぐ限り、ストームはそう遠くない。そう思ったちょうどそのとき、少し先の茂みの陰に隠れたストームの姿がみえた。ラッキーは、そちらへ近づきながら、手前の木陰に駆りこんだ。声をかければきこえる距離にいる。そのとき、体が凍りついた。すぐそこに、フィアースドッグたちが集まっていたのだ。朝の訓練の最中だろうか。隊列を作った群れの前で、メス犬の一匹がウサギをもてあそんでいる。追いかけては前足で押さえつけ、ウサギが身をよじって逃げだすのを待つ。すると、今度はべつの犬が、おなじウサギを追って押さえつける。フィアースドッグたちはおもしろそうに吠えながら、おびえたウサギが夢中で逃げまわるのを見物していた。

ラッキーはぞっとした――最低だ！　獲物を狩るのは食べるためだ。生き物をふざけて殺したり、こんなふうにいじめたりするのは、〈森の犬〉の掟に反する。ネズミをいたぶる野蛮なシャープクロウと変わらない。

ウサギは、興奮して荒々しく吠える犬たちに背を向け、必死で立ちあがって、茂みに逃げこんだ。茂みのうしろにはストームがいる。息をのんだラッキーの目の前で、二匹のフィアースドッグがはねるようにウサギを追う。ラッキーは、息を止めて身をちぢめた。恐ろしくて顔をそむける。だが、小枝の折れる音や、仕留められたウサギのかん高い悲鳴はきこえてくる。

「おい、きてみろよ！」フィアースドッグの片方がうなった。

ラッキーは思いきって木陰からのぞき、恐怖のあまり叫びそうになった。一匹のフィアースドッグがウサギの首をくわえ――もう一匹が、ストームをくわえている。

群れはわっと集まり、口々に子犬をあざけった。

「街の犬のペットじゃないか！」一匹が低い声でうなる。

「逃げだした卑怯者か」べつの一匹がいう。

ストームはもがいたが、逃げられない。

ウサギをくわえていたフィアースドッグが、獲物の首を折って地面に放った。群れが歓声をあげてとびつく。少しのあいだ、骨を砕く音や、荒い鼻息や、ぺちゃぺちゃいう音が続いた。

食べおえたフィアースドッグたちが離れたあとには、毛のかたまりや、ピンク色の筋だけが残っていた。

ウサギを殺したフィアースドッグが、ストームに一歩近づいた。牙をむき出してうなる。

「おまえも引きさいてやるからな」

ストームはそれをきいたとたん、怒りを爆発させ、力いっぱい暴れて身を振りほどいた。

「やってみれば!」うなりながら敵に突進していく。

ラッキーは恐怖で吐き気がした。全員を相手にできるわけがない――!

「リックか」ふいに、群れのうしろからブレードが姿を現した。ストームはぴたりと足を止め、頭を低くして身がまえた。ほかの犬たちが、さっと道を開ける。ブレードは落ちつきはらってすわり、褐色の前足をあげてなめはじめた。ストームがうなってもにらみつけても、涼しい顔をしている。やがてブレードは前足をおろし、顔もあげずに話しはじめた。「最後にみたのは、大きな塔のそばだった。ずいぶん勇ましく戦っていたが、自分のアルファを助けることさえできなかった。そうだろう?」ちらりと目をあげる。「それとも、わざと見殺しにしたのか?

吐き気がする――アルファに対する忠誠心のない犬がいるとは」

ストームは腹を立てて遠吠えをした。「あたしの仲間にケガさせたら、死んでも許さない!

あたしは、アルファの復讐をしにもどってきたの!」フィアースドッグたちはおもしろがって、からかうようにきゃんきゃん吠えた。ストームはひと声吠えてブレードに突進したが、メースとダガーに行く手をさえぎられた。べつの二匹がかかとに牙を立て、もう一匹が足の付け根にかみつく。

なぜストームは、ひとりでここへきたのだろう。これほど大勢の敵にかなうわけがない。ラッキーは足がすくんで、木陰から一歩も動けなかった。そのあいだも、フィアースドッグたちはストームをこづきまわし、容赦なくわき腹にかみついている。いまとびだしていけば、あっというまに殺されてしまう。だが、あのままにはしておけない。みているだけでも耐えられない。いまのストームは、あのウサギとおなじだ……フィアースドッグたちのおもちゃだ。助けださなくては。

ストームの体は、毛並みのいい黒と茶色の犬たちにもみくちゃにされ、ラッキーのいる木陰からはみえなかった。霧も、鼻がぬれるほど濃くなっている。ラッキーは、敵の姿をおおいかくす霧に目をこらした。吠え声と牙が鳴る音のあいまに、ストームの苦しげな悲鳴がきこえる。とうとうラッキーは、危険を承知で木陰から足を踏みだし、そっと敵の群れに近づきはじめた。だが、とたんに、白い霧にかくれていた茂みにぶつかった。しかたなく、霧が少し晴れるのを待つ。

霧が〈果てしない湖〉のほうに流れていくのをみはからい、ラッキーはフィアースドッグたちのいたあたりへ急いだ。ウサギの残がいが散らばっているだけで、群れも、ストームも消えている。地面に鼻を近づけた。ウサギの骨のそばに、なにか奇妙なものが落ちている。どことなく、見覚えのあるもの……血だらけの三角形のなにか……つぎの瞬間、ラッキーは吐きそうになった。これはストームの耳だ！　フィアースドッグは、ストームをさらっていき、やわらかくなめらかな耳を土の上に捨てていったのだ。恐怖でめまいがする。ウサギをもてあそんでいた姿が頭をよぎる。あの犬たちは、苦しめて……殺すのだ。

胸の鼓動が一気に早くなる。ラッキーはくるっとうしろを向き、全速力で崖に駆けもどった。

20 新たなアルファ

ラッキーは霧の立ちこめる道を夢中で走り、〈野生の群れ〉が夜を明かした建物をめざした。ごつごつした地面が平らになってきたころ、吠え声がきこえたような気がした。声は、二度、三度と続く。ラッキーは速度をあげ、息を切らしながら、建物の角を曲がった。

仲間たちはなぜか建物の外に出て、草におおわれた崖の上に集まり、うなったり吠えたりしている。恐怖のにおいがただよってきて、ラッキーは足を止めた。ようすがおかしい。

首を伸ばすと、スイートが群れに取りかこまれているのがみえた。「スイートになにをするのよ!」ムーンの鋭い声がして、牙をむき出していたダートは、ひるんだように後ずさった。横にいたベラがスイートにとびかかり、なじるように吠えながらつきとばす。両わきにいるブルーノとスナップは、スイートのまわりで円をえがきながら、足にかみつこうとしている。だが、ムーンとデイジーは、スイートを守ろうとしているらしい。

「けんかはやめて！」サンシャインが叫んでいる。「なにしてるの？　仲間でしょ！」だが、耳をかすものはいない。

ラッキーは、目の前の光景が信じられなかった。ブルーノとスナップを押しのけ、スイートとベラのあいだに割って入る。怒りでしっぽがこわばっていた。犬たちは、ラッキーに気づくと、驚いてぱっと離れた。「なにしてる？　少し離れてたあいだになにがあった？」スナップがうつむき、ダートが小さく鳴く。スイートはぶるっと首を振った。目のまわりには血がにじんでいた。仲間にケガをさせられたのだ――ラッキーは、できれば駆けよってほおをなめてやりたかった。

だが、そうするかわりに、険しい顔で群れをみまわした。「サンシャインのいうとおりだ。仲間だろう？　なにを考えてる？」

目をそらさないのはベラだけだ。「お説教もいいけど、そっちこそ、どこにいたわけ？　目を覚ましたら、ストームと二匹で消えてるんだもの」責めるようにスイートをにらむ。「スイートが出ていけって命令したんでしょ？　自分がアルファになりたいから、あなたがじゃまだったのよ。でも、白状しなかったわ。ウソをついてみせる度胸もないんだから！」

スイートは、ラッキーをかばったせいでこんな目にあわされたのだ。ラッキーは、きょうだいをにらんだ。「だれにも命令なんかされてない。ストームが大変なことになったんだ。よくきけ――あの子はフィアースドッグにさらわれた」

群れから、驚いたようなざわめきがあがった。

「近くにいるの？」サンシャインは震えている。

デイジーはパニックを起こして吠え、ブルーノは敵を探しながら肩を怒らせた。

ラッキーはあわてて説明した。「この近くにはいない。ストームは、自分から敵のすみかにいったんだ。あとをつけられていないかたしかめにいって、みつかってしまった」

「かわいそうだけど」ベラがそっけない声でいった。「でも、そんなこと、こっちが知るわけないじゃない。スイートは話してくれなかったし」

ラッキーは、かっとなって耳を震わせた。「決めたとおりに円を作って、賛成か反対か決めたのか？」

「あたりまえでしょ！」ベラが吠えるのと同時に、デイジーがかん高い声でいった。「決めてないの！」

ソーンが、前に進みでた。母犬をそのまま小さくしたような姿だ。ふさふさした毛は長く、真っ白だ。とがった耳と、顔の半分だけが黒い。ムーンと同じ青い目をしている。「票は集めようとしたんです」ひかえめだが、はっきりとした声だ。「スイートを罰するかどうか、決めようとしたんです。ラッキーを群れから追いだしたことを認めさせるために。ベラとスナップとダートとブルーノは賛成に票を入れたけど、スイートは自分で反対に票を入れて、ほかの二匹を集めたんです。それで、けんかがはじまって――」

ラッキーは、複雑な気分だった。うしろめたくもあったし、がっかりもしていた。群れのするべきことを円陣で決めるという案は、結局失敗だったのだ。ストームを探しにいくことはだまっていてくれと頼んだせいで、スイートにケガをさせてしまった。

ベラは悪びれるようすもない。鼻をつんとあげて、あごに力をこめている。「円を作るって考えはよかったけど、うまくいかなかったわ。群れに必要なのはまとめ役よ。ややこしい決め方は言い合いやけんかのもと。アルファを決めなきゃ――あたし、自分がぴったりなんじゃないかと思ってるの」挑むようにラッキーをにらむ。反対したいならすればいい、といいたげな顔だ。「前にもやったことあるし、きっとまたできるわ。ダートとスナップも賛成してくれてるの。そうでしょ？」そういって振りかえると、二匹はしっぽを足のあいだにはさみこみ、気まずそうに後ずさった。

ラッキーは、かすかに牙をむき出した。意見もいえない腰ぬけばっかりだ――。ストームは、少なくとも腰ぬけなんかじゃなかった。子犬のことを思いだすと気持ちがあせり、すぐにでもフィアースドッグたちのもとに飛んでいきたくなる。だが、群れに声をかけようとした瞬間、スイートが小走りに前に出てきた。

「わたしがアルファになる」スイートは鋭く吠えた。舌には血がにじみ、目の近くの傷からも血が流れだし、鼻面を細くつたっている。

「冗談でしょ！」ベラはあざけるように吠えた。「自分をみてみなさいよ！　そんなんであたしに勝てると思うの？　そんなこともわからないなんて」ベラは胸を張り、金色の耳をぴんと立てた。「あなたって、アルファに対する恐怖心を、忠誠心とか愛情だってかんちがいしてるだけよ。でも、あなたがべったりだったオオカミ犬は、もういない。ほかのみんなにかわって、いってあげる。あたしは、せいせいしてるわ。弱い者いじめが好きなアルファなんか、いなくなってよかった」

驚いたような声がいくつもあがった。ラッキーでさえ居心地が悪くなり、そわそわと足を踏みかえた。アルファのことは好きになれなかったが、それでも、死んでしまったオオカミ犬の悪口をいうなんて、正しいことだとは思えない。

ベラはゆっくりとスイートにつめよりながら、わざとらしく牙をむき出した。「アルファの二番手だった時代は、もうおしまい。あなたは、ふつうの犬。サンシャインといっしょに雑用をするのがお似合いよ」

「オメガになるのは悪いことじゃないもの！」サンシャインが声をあげたが、ベラは返事をしなかった。

スナップが顔をあげ、不安そうに鼻をなめた。「もし……」そこで声がとだえ、ラッキーは続きを待った。「その、もし、円を作って決めるやり方がうまくいかないなら、〈大地のうなり〉の掟(おきて)に従わなくちゃ。けりをつけるには戦うしかないわ」

「そのとおりよ」ムーンがうなずく。「アルファは、勝手に群れの一番手になったわけじゃない。アルファになるために、ほかの挑戦(ちょうせん)者を倒(たお)して力を証明したの。相手はすごく大きな犬だったわ。白と黄色のぶちがある――」

「そう、ブラック・アイ」スナップはいった。「どうして黒い目(ブラック・アイ)かというと――」

「当ててみようか」ラッキーはわきからいった。「片目のまわりに黒いぶちがあったんだろう？」

スナップはとまどって首をかしげた。「どうして知ってるの？」

「たまたまだよ」ラッキーはため息をついた。若いころのアルファを思いうかべようとする。

地位をめぐってだれかと戦う姿は、想像もできない。頭に浮かぶのは、群れに命令をしているアルファばかりだ。「アルファを決めるときは、どんなふうに戦うんだ？」

「地位を上げるときとおなじよ。もっと激しいけど。ほかの犬はみてるだけ――二匹だけで決着をつけるの」

「決着って、死ぬってこと？」サンシャインが息をのんだ。

「いいえ、降参するということ」ムーンがいい、スナップはおかしそうな顔をした。

ラッキーはもどかしくなり、前足で地面をたたいた。「ストームの身が危ないんだ。本気でアルファを決めるつもりなら、急がなきゃ」まっすぐにスイートとベラをみる。「フィアースドッグのやつら……ストームの耳をかみちぎったんだ」

それをきいたとたん、入り口のそばで押しだまっていたマーサが前にとびだし、苦しそうに遠吠えをした。「あの子の耳を？」

ベラは表情をこわばらせ、両肩を低く下げて攻撃の体勢になった。「時間がないわ。あたしをアルファにすれば、すぐに終わる話でしょ。そしたら、ストームをどうすればいいか、あたしが決めてあげる！」

ラッキーは、きょうだいの口調が気に入らなかった。ベラが、オオカミ犬と同じように、ストームをじゃまものだと決めつけて、敵の群れに置きざりにするつもりだとしたら——。
ちらっとスイートをみる。血は鼻をつたって流れつづけ、片方の目はほとんど開いていない。こんな状態で戦えるだろうか。アルファを決めるのはあとにして、先にストームを助けにいきたい。だが、ほかの犬たちは反対するだろうし、みんなの気持ちもわかるような気がする。群れには、ものごとを決定するリーダーが必要なのだ。自分の案が失敗したことを思い知って、ラッキーはそっとしっぽを巻いた。

スナップが進みでて、ベラとスイートのあいだに立つ。しん、と群れが静かになる。スナップは目をつぶり、天をあおいで吠えた。「これより、スウィフトドッグのスイートと、猟犬のベラが、アルファの座をめぐって戦います。〈精霊たち〉よ、あなたたちに、すべてをゆだねます。大地と空気の守護者たちよ、どうか賢明なご判断を——真のアルファに勝利を与えてください！」

宣言が終わると、わっと吠え声があがった。群れはうしろに下がり、戦う二匹に場所を空けた。ラッキーはみていられず、ミッキーのうしろに隠れた。はやく終わってほしい。なにより、自分にはスイートを守る義務があるような気がしてならない。自分とあんな約束をしたせいで、ケガをさせてしまった。スイートはホケンジョのころからの仲間で、強く、気高い犬だ。だがいっぽうで、きょうだいのことも心配だった。まだスクイークと呼ばれていたころのベラは、活発で明るい子犬だった。いばり屋の顔の陰には、スクイークだったころの面影が残っている。

〈精霊たち〉よ、どうか、きょうだいをお守りください――。

ベラはひと声うなり、スイートに突進した。スウィフトドッグは身をよじって攻撃をよけ、うしろ足で立つと、前足をベラの頭に振りおろした。ベラがぱっと身を引き、すばやくとびだしてスイートの鼻にかみつく。

群れは身を乗りだすようにしてみまもっていたが、ラッキーは顔をそむけた。スイートが痛そうに悲鳴をあげると、自分がかみつかれたかのように体がすくむ。群れのかけ声が高まっていく。ベラの名を呼ぶものもいれば、スイートを応援しているものもいる。どちらにも味方しないで、ただやみくもに吠えている犬もいる。戦いの光景や血のにおいに興奮しているのだ。

ラッキーは、耳をふさぎたかった。スイートは苦戦している――いつものように戦うことができないらしい。ふいに、群れの騒がしさをかき消すほどの悲鳴が響きわたり、ラッキーはようすをみようと首を伸ばした。ベラとスイートを取りかこむ犬たちのあいだをかき分けるようにして、スナップとミッキーのあいだからのぞく。一瞬、ベージュ色の毛が目に映った。立っているのはスイートだ。疲れはてているが、誇らしげだ。悲鳴をあげたのはベラだったのだ。

きょうだいは地面に転がり、空気を吸おうとあえいでいる。

ベラは身をよじってあおむけになり、赤い引っかき傷のついた腹をあらわにした。「降参よ！」息を切らしながら声をあげる。

スイートが大きく息を吸ってすわると、ベラは顔をしかめて立ちあがり、足を引きずりながら近づいていった。頭を下げ、服従のしるしに腹ばいになる。「アルファ、あなたの勝ちです」

それをきくと、群れから声があがった。

優しいスウィフトドッグは、それ以上ベラに恥をかかせなかった。そっと相手の鼻に触れる。

「いい戦いだったわ。ありがとう」

ベラはうなずき、急いで立ちあがった。ぎこちない歩き方で仲間のそばにもどると、ブルーノが傷をなめてやった。ほかの犬たちは、耳を立ててしっぽを振りながら、わっとスイートを取りかこむ。口々に忠誠を誓っている。スイートはうれしそうに目をかがやかせ、仲間にお礼をいった。

ラッキーは複雑な気分だった。スイートが勝ったことはうれしいが、ベラが負けたことはかなしい。群れをまとめようとした自分の工夫が失敗したことも、まだ引きずっている。結局、群れには階級が必要なんだ——そう思うと残念だった。スイートやほかの犬から少し遠ざかる。

だが、ふと思いなおして、ぶるっと首を振った。こんなときに自分をあわれむなんて、どうかしている。急にうしろめたくなった。ストームがいまも敵の群れにいるっていうのに――！

ラッキーは、崖に面して置かれた細長い木のイスに目をとめた。イスにとびのり、群れに向かって声をかける。

「ストームを探しにいこう。あの子はフィアースドッグのもとにいるんだ――なにをされるかわからない」

スイートは群れをかき分けて前に出ると、ラッキーのとなりにとびのった。ケガをした目はほとんど開いていないが、気にしていない。そっとラッキーを鼻で押しのけ、イスの真ん中に立つ。それから、あたりに響きわたるような、堂々とした声で吠えた。

「ありがとう、ベータ」軽く鼻をなめられ、ラッキーはまじまじとスイートをみた。いっしょにアルファとベータになろうという話をしたことはある。だが、こんな形で選ばれるとは思ってもみなかった。ほかの犬と戦う必要はないのだろうか――？　群れは、あたりまえのように、この決定を受けいれている。

スイートは続けた。「ストームがフィアースドッグたちのもとにいるのよ。急いで敵のすみかへいってみつけましょう。ベータ、あの子の居場所を知っているのよね。案内してくれる？」

ラッキーは、敬意をこめて頭をさげた。オオカミ犬には、こんなふうに助けを頼まれたことはない。いつも、群れの安全より自分のプライドを優先させていた。

「感謝します……アルファ」スイートをそう呼ぶのは違和感があったが、いまは、そんなことにこだわっている余裕がない。イスからとびおり、ストームのにおいを探しはじめる。すでに、においは薄れかけていた。「急ごう！」ひと声吠えると低い茂みをくぐりぬけた。あとを追ってくるスイートの足音をきくと、胸に希望がわいてくる。

ラッキーは、崖の小道をつたって、ふたたび町へ向かった。そのあとを群れが小走りに追ってくる。空の高いところにのぼった〈太陽の犬〉が、金色のしっぽで霧を払い、群れの行く手を照らしていた。

21 ファングとストーム

群れは、町はずれで小さくかたまっていた。冷たい風に巻きあげられた砂が、あたり一面をおおっている。ラッキーは、砂を払いおとそうとして体を振った。

スイートを振りかえる。「フィアースドッグの野営地は、壊れかけた大きな建物の中にあるんだ。だけど、見張りがついてる。運よく見張りが離れてたとしても、パトロールをしてるから、いつみつかるかわからない」

スイートは、険しい顔をあげた。「みつからずに近づく方法を考えなくちゃ。裏口があるんじゃない？」

ラッキーは少し考えた。「こっちだ」砂におおわれた通りをぬけて、野営地に向かう。壁に貼られたニンゲンの大きな写真の前を通りすぎながら、裏にまわった。肩ごしにうしろをみると、スイートと仲間たちが、壁に沿って慎重についてきている。

くさりかけた水草とがらくたの小山を回りこんで、裏の壁へ近づく。こちら側の壁に写真はない。むかしは白くぬられていたらしい壁は、ところどころ削れ、地面とおなじような灰色がのぞいている。ラッキーは、マーサとムーンとベラに合図した。この三匹とは、以前もここにきたことがある。「ここでまちがいないか？」声を抑えて確認した。

「ええ、ここよ」ベラがうなずく。

ラッキーは、壁の下のほうに鼻を近づけて、深く息を吸った。敵のにおいが残っているが、いまにも消えそうだ。パトロール隊は、正面の入り口を警戒して、裏手にはめったにこないようだ。ここにいればみつかる危険はなさそうだが、中の野営地にはどうやって近づけばいいのだろう？　そのとき、なにかが壁を引っかく音がきこえて毛が逆立った。

「よけいなことをするな！」ブルーノの小声がきこえ、ぱっとうしろをみると、不安そうに耳をうしろに寝かせているのがみえた。「こっちにこい。群れから離れるな」

ブルーノが叱っている相手はサンシャインだ。いつのまにかひとりで壁ぎわへいき、地面にあるなにかを引っかいている。白いふさふさしたしっぽが勢いよくゆれていた。ラッキーが駆けよると、振りかえって気まずそうに鳴いた。

「ごめんなさい。階段がどこに続いてるのか気になって」

「階段？」みると、汚れた白い前足は金属の手すりに置かれている。手すりは、地面に開いたすきまから地下深くに続いていた。ラッキーは、暗闇に目をこらした。サンシャインのいうとおりだ——地下に続く階段がある！

「よくやった！　ここから中に入れるかもしれない」ラッキーがいうと、サンシャインはぱっと顔をかがやかせた。足早に近づいてくるスイートに声をかける。「下におりる階段があったんだ。どこに続くかたしかめたらどうかな」

　スイートは暗い階段をみつめて、ためらっていた。しっぽがこわばり、ぴくりとも動かない。ラッキーはそれをみて、ホケンジョで震えていたスイートを——自信にあふれたベータとも、群れの新たなリーダーともかけ離れた姿を——思いだした。なにかあったら急いで逃げればいいんだ、とはげまそうとしたとき、スイートは心を決めたらしい。

「みんな」小声で呼びかけると、群れがそばに集まってくる。「ここから中に入りましょう」スイートは、金属の階段をつたって、建物の中におりていった。

ラッキーは急いであとを追った。闇の中をおりていくと、うしろから、仲間がそっと段を踏む音がきこえてきた。階段はどこまでも続いている。入り口がせまいせいで、射しこんでくる光が弱々しい。カビのにおいが立ちこめていて、緊張でひげがぴりぴりする。スイートに続いて一番下の段からとびおりると、足がひんやりした床に触れた。

マーサがすぐそばを通りすぎていく。ウォータードッグは、ストームと争ってからというもの、明らかに口数がへっていた。二匹は仲直りをしたのだろうか。

デイジーが床にとびおり、ラッキーの耳元に鼻を押しつけて心細そうに鳴いた。「ここ、好きじゃない。暗いし、カビくさい」

「すぐに出られるよ」ラッキーはなぐさめた。

暗闇の中に、こちらを振りかえったスイートの姿がぼんやりとみえる。「いまのきこえた？上で物音がしたわ」

ラッキーは耳をそばだてた。天井がきしむ音と、足音がきこえる。鳴き声もしたが、なにを話しているのかはわからない。「すぐ上にあいつらのすみかがあるんだ」

スイートは鼻をあげた。「もう少し近づかなくちゃ」

マーサが、おだやかな低い声で呼んだ。「ここに、なにかあるわ」

そちらをみると、天井から細い光がもれている。目が慣れてくると、結び目のあるロープが、天井にはめこまれた戸から垂れさがっているのがみえた。

「こういう戸をみたことがあるわ」マーサが、声を殺していった。「下に引っぱって開ければ、上にいけるかもしれない。そうすれば、野営地に近づけるでしょう？」

スイートは少し考えこんでいた。ほかの犬たちはそばに集まり、静かに決定を待っている。

「わかった」やがて、スイートはいった。「やってみて。でも気をつけて――上になにがあるかわからないから」

マーサは、ロープをしっかりとくわえて、強く引っぱった。ぎい、というかすかな音とともに戸が開き、細長いはしごが勢いよく床におりてくる。ほこりが舞い、ラッキーは腰を低くして、くしゃみをしてしまわないように鼻を前足でおおった。上をみあげると、天井に開いた入り口から弱い光がもれている。フィアースドッグのにおいがただよってきて、毛が逆立った。

スイートは緊張した顔で口のまわりをなめ、細い足を木の段にかけた。つぎの段に足をかけると、体重で木がきしむ音がするだけで、はしごはびくともしない。はしごをのぼりつづけ、てっぺんまでたどりつくと、頭を戸のむこうにのぞかせた。ラッキーは、息をつめて待っていた。鼻先で白いしっぽが小さくゆれている。

しばらくすると、スイートは下を向き、小声でいった。

「だいじょうぶみたい」はしごをのぼり切り、上の床にあがる。ラッキーも、ほかの犬を連れてあとに続いた。

床に出ると、ここがフィアースドッグの野営地だという確信はますます強くなった。ブレードたちのにおいがする。行く手は、赤くぶ厚いカーテンのようなものにさえぎられていた。両わきと前も赤いカーテンに囲まれ、うしろには暗い通路が続いている。頭を低くしてカーテンの下に鼻を差しこみ、においをかいだ。ストームのにおいに気づき、反射的にしっぽがゆれる。あの子はぶじなんだ——！

ほかの犬たちも、床の上にあがってくると、ゆったりとひだのかかった赤いカーテンのうしろで身を寄せあった。群れの先頭にいるマーサとスイートとラッキーは、カーテンのすきまからむこうをのぞいた。

少し身を乗りだすと、ストームの姿がみえた。ステージの中央に、ひとりで立っているようだ。ステージの前には、赤い布にくるまれたイスが、何列にもなって並んでいる。ひとつ残らずステージのほうを向いている。はじめてこの建物にきたときも、このステージをべつの位置からみたことがある——フィアースドッグは、ここを寝床にしているはずだ。天井をみあげると、みおぼえのある美しい金色のもようと、翼のはえた幼いニンゲンの絵がみえた。

ストームに視線をもどしたラッキーは、ぞっとしてしっぽを垂れた。ひどい姿だ——痛そうにしかめた顔は血だらけで、片方の前足にもケガを負っている。とびかかろうとするかのように、震える体で身がまえている。フィアースドッグたちは、ステージのはしに集まっているようだが、ラッキーの位置からはみえない。赤いカーテンのすぐむこうでは、一匹のフィアースドッグが同じ場所をぐるぐる回っている——ファングだ！

ファングは、きょうだいのまわりで、ゆっくりと円をえがいていた。「おれは、おまえが恥ずかしい」肩を怒らせてうなっている。「血を分けたきょうだいを捨てて、汚らしい雑種の集まりを選ぶなんて」足を止め、ストームの耳元に鼻を近づける。「どうしてあんなまねをしたんだ？　どうして、気高い群れを捨てて、卑怯者の群れなんかにいった？　みせしめに、もう片方の耳もかみちぎってやる！」

ファングがとびかかり、ストームは急いで身をかわした。血のつながった家族に襲われるなんて、どれだけつらいだろう。フィアースドッグたちの歓声がきこえる。声の大きさから考えて、群れの全員が集まっているようだ。ストームに勝ち目はない——。

ビートルの弱々しい鳴き声がきこえ、ラッキーは振りむいた。ソーンがきょうだいの鼻をなめながら、悲しそうにつぶやく。「きょうだいを攻撃するなんて、わけがわからないわ」

ラッキーはもう一度恐ろしい光景に向きなおり、暗い気分で考えた。いいや、ぼくにはわかる。ファングは、残酷な犬たちに育てられたんだ。なにをしてもおかしくない。

ストームは、体をひねってきょうだいのほうを向いた。「ばかなこといわないで！」声はかすれ、舌には血がにじんでいる。つばを吐き、大きくのどを鳴らす。「この群れを離れたいなら、そうすればいいじゃない！　あんたは、自分でまちがった道を選んだのよ！　よろこんでブレードのもとに残った。まだ赤ちゃんだったきょうだいを殺されたのに！　ブレードなんかだいきらい！　ファングだって、だいきらい！」

「よくもそんな口を！」ブレードが声をあげたが、姿はみえない。〈野生の群れ〉から、おびえたにおいが立ちのぼる。ラッキーは、どうかみんなが落ちついてくれますように、と祈った。だれか一匹がパニックを起こせば、あっというまにみつかってしまう。もしかしたら、すでに赤いカーテンのむこうまで、恐怖のにおいがもれているかもしれない。

「らちが明かない。試練でけりをつける」ブレードがうなりながら前に進みでる。そのとき初めて、横顔がみえた。ほっそりした鼻先、鋭い牙、そして、とがった耳。群れに向かって声を張りあげながら、目はストームをにらんでいる。「この二匹は、もう子どもじゃない。〈怒りの試練〉を受けてもいいころだ。フィアースドッグとして生まれついた者は、かならず、この試練に耐えておとなになるのだから」

「あんたたちの試練なんか受けない！」ストームは激しい口調でいった。「ウィグルにしたみたいにあたしを苦しめようだなんて、そうはさせないわよ！」

ラッキーは、子犬の勇ましさが誇らしかった。

返事をしたブレードの声は、奇妙におだやかだった。「おまえに選ぶ権利はない」ファングをみると、冷ややかな声でいった。「殺せ！」

ラッキーは息が止まった。ファングは、一瞬のためらいもみせずに襲いかかり、前足で、ストームのわき腹をつきとばした。二匹が折りかさなるように倒れこむ。激しいうなり声のあいまに、牙の鳴る音がする。足元に転がってきた二匹をよけながら、ブレードは顔色ひとつ変えない。「〈怒りの試練〉を受けてはじめて、正統なフィアースドッグになれる。ファング、おまえの使命は、ストームから激しい怒りを引きだすこと――途中でやめることも、手加減することも許さない。殺せ」

ストームは凍りつき、目を見開いた――本気で反撃すれば、ブレードの思うがままだ。ファングを振りはらうと床にうずくまり、前足で顔をかばって、しっぽを足のあいだにはさみこんだ。だが、ファングは攻撃をゆるめない――とびかかってわき腹に何度もかみつき、背中に爪を立てる。

スイートは後ずさり、ほかの犬たちは、そのまわりで身を寄せあった。

「殺されちゃう！　どうすればいいの？」サンシャインがくんくん鳴いた。

スイートは、せっぱつまった声でいった。「いい？　上をみて。あそこだけ高くなっているでしょう」鼻先で上をさす。カーテンのすきまから上をみると、そのとおりだった。フィアースドッグたちのいるステージを見下ろすように、天井に近い壁から、バルコニーのような部分が張りだしている。そこにも、ニンゲンのイスが並んでいた。

スイートは口をなめた。「ラッキーは、みんなをあそこに連れていって。マーサは裏口から逃げる準備をしていてちょうだい」

群れの犬たちは、とまどったように目をしばたたかせた。

「なんのために？」ベラがいう。「ストームを助けなきゃ。時間がないのよ」

「説明してるひまはないの。いうとおりにして」

ラッキーはうなずいた。ここにくるまで、りっぱに群れをまとめてきたのだ。スイートの判断なら、きっと信頼できる。

スイートはマーサを振りかえった。「あなたはここに隠れていて。わたしたちがフィアースドッグたちをおびき寄せるから、そのあいだにストームを助けだしてほしいの」

「おびき寄せるだなんて、どうやって？」ムーンがたずねた。

ストームの苦しげな遠吠えがきこえ、スイートはびくっと身をすくめた。「わたしに考えがあるの」マーサをじっとみつめている。「すきができたら、すぐにあの子を助けて。いい？　一瞬だってむだにできない。あなたはたくましくて、すばやくて、すばらしい戦士よ。できるわね？」

マーサはがっしりした前足を差しだした。「たとえこの足を失ったって、食いとめてみせる」

ラッキーは、たのもしい返事をきいて、胸があつくなった。

「頼んだわよ。さあ、いきましょう！」スイートはくるっとうしろを向き、地下にもどるはしごをおりはじめた。ラッキーも急いであとを追う。すぐうしろから、ベラとミッキーが続いた。

一瞬、闇に包まれて前がみえなくなり、段を踏みはずしそうになった。目が暗がりに慣れたころ、スイートはすでにはしごの一番下にいた。

スイートは群れを率いて外に出ると、ラッキーを振りかえった。「正面の入り口はどこ？」

「むこうの通りだ」

「あっちの群れは、全員なかにいるみたいだわ。見張りは立ててないはずよ。でも、もしかすると……」スイートは最後までいわなかった。

「こっちだ」ラッキーは、足音を立てないように注意しながら、壁に沿って路地を歩いた。通りに出ると小走りになり、建物に続く広い階段に向かう。中に入る前に一瞬足を止め、においをたしかめた。スイートのいったとおりだ――近くにフィアースドッグはいない。肩ごしにうしろをみて、群れといっしょに待っているスイートに合図をする。二匹は並んで階段を駆けあがり、建物の中に入った。

中はひんやりと薄暗く、床にはなめらかな赤いじゅうたんが敷きつめられている。

「こっちだ」ラッキーは、つぎの階段をのぼりはじめた。その先には、たくさんのイスが並ぶ大きな部屋がある。

「バルコニーみたいな席があったでしょう？　あそこにいきたいの」スイートがいった。

ラッキーはためらわずに進んだ。前回きたときとはちがって、どこまでも続く階段を、つぎつぎとのぼっていく。一段とばしに駆けあがり、先を急ぐ。スイートの目指している場所は、一番上の階にあるはずだ。とうとう階段がとぎれると、通路を駆けぬけ、赤いカーテンの下をくぐった。すると、ステージをみおろすように張りだしたバルコニー席の上に出た。イスが階段状にならんでいる。

「ありがとう」スイートが、バルコニーのはしに走っていく。ラッキーもとなりに並び、下をみおろした。はるか下に、たくさんのイスがならんでいる。息をのむほど高い。ここから落ちれば、ひとたまりもない――。

ラッキーは、黒と褐色の敵の群れに視線をうつした。ステージのはしで一列に並んでいる。前にきたとき、ブレードは、ステージに作った寝床にいた。敵の群れから少し離れたところで、ファングがストームにのしかかっている。ラッキーはそれをみると胃が痛くなった。ファングは、ストームのケガをしていないほうの耳にかみついている。ストームは反射的に相手のわき腹をけりつけたが、あわてて足を引き、反撃するのをやめた。フィアースドッグたちは、子犬を挑発しようと、しつこく遠吠えをしている。ストームの背中からは、血が流れていた。

「下はどうなってるの？」サンシャインがそっとたずねた。小さすぎて、ステージをのぞくことができないのだ。

ラッキーは恐怖で吐きそうになりながら、スイートの目をみていった。「ストームは限界だ。はやく、つぎの指示を出してくれ！」

すると、返事のかわりにスイートは前足を手すりにかけ、大声で吠えた。「フィアースドッグ！　よってたかって弱い者いじめ？　臆病者！」

黒と褐色の頭が、いっせいに上を向く。

スイートとラッキーに気づいたブレードが、怒りで目をむいた。「雑種どもめ！」

「雑種だって、戦うときには誇りを捨てない」

「誇りだと？　おまえたちに誇りのなにがわかる？」ブレードは遠吠えをした。「息の根を止めてやる。死体を通りに引きずっていって、はらわたを鳥に食わせてやる！」

　スイートは口のまわりをなめた。首元のうすい皮ふを通して、脈が速くなっているのがみえる。だが、おびえたようすは少しもみせずに、勇ましく吠え返した。「じゃあ、ここにきてつかまえてみなさいよ！」

「全員、かかれ！」ブレードが金切り声をあげた。ステージからとびおり、イスのあいだの通路を猛然と走りはじめる。群れが黒いかたまりのようになって、あとを追う。ストームは、夢中で走るフィアースドッグの行く手から、あやういところでとびのいた。だが、逃げるひまのなかったファングは、仲間に踏みつぶされた。最後の一匹がとびおりると、ステージに残されたファングは、横向きに倒れて目を閉じていた。ラッキーはぞっとした。あの犬たちは、倒れた味方のことを気にもかけていない。

　フィアースドッグたちが、広い部屋をつぎつぎととびだしていく。ラッキーは身ぶるいした。上に続く階段に向かっているにちがいない。そのとき、マーサが隠れていた陰から走りだしてきて、ストームをなだめながら、赤いカーテンの陰に押していった。ラッキーは、全身の緊張が一気に解けていった。これでストームは安全だ。

だが、ほっとしたのは、一瞬だった。フィアースドッグたちのたけだけしい吠え声がきこえてくる。すさまじい勢いで階段を駆けあがってくる。

ダートが不安そうに鳴いた。ブルーノは覚悟を決めた顔をしているが、足が震えている。サンシャインはやみくもにぐるぐる円をえがき、ホワインは、恐怖であえぎながら後ずさり、うしろのイスにぶつかった。

ラッキーとスイートは、しっかりと目を合わせた。新しいアルファは、うろたえる群れに向きなおった。「みんな、いい？　敵が近づいているわ。怖がらないで——あなたたちならだいじょうぶ。命をかけて戦うの！」

22 裏切り者

とどろくような足音が近づいてきたかと思うと、フィアースドッグたちがバルコニーへなだれこんできた。黒い雲のように広がり、階段へ続く通路をふさぐ。憎しみで鼻面にしわを寄せ、牙をむき出した口には、よだれがあぶくを作っている。イスにとびのった敵の姿は、大きなカラスのようにみえた。

〈野生の群れ〉は後ずさり、味方同士でぶつかり合った。ラッキーは自分の足につまずいた。あたりには、仲間が発散する恐怖のにおいが立ちこめている。スイートだけが、ひるむことなく、しっかりと足を踏んばっていた。肩を怒らせ、うなじの毛を逆立てる。頭を低くしブレードのほうに一歩近づいた。引きしまった腹の奥から、低いうなり声がきこえる。

勇敢なスイートの姿をみて、ラッキーは自分を叱りつけた。しっかりしろ――いま勇気を出さなかったら、二度とフィアースドッグを倒すチャンスはやってこない。ラッキーは大きく息を吸い、スイートのとなりに並んだ。

ブレードが、あざけるように吠えた。「そっちのアルファはやせっぽっちのスウィフトドッグなのか？　ベータは〈街の犬〉だと？　さぞ強い群れになりそうだ」

フィアースドッグたちが、あざけるように鼻を鳴らした。

ブレードは、いきなり前にとびだし、スイートをバルコニーのはしに追いつめようとした。だがスイートは、しなやかな体で宙高くとび、体をひねって敵の攻撃をよけた。体を低くしてブレードのそばを勢いよくすりぬけ、イスのあいだに逃げる。さっと振りかえり、はっはっと息をした。

「ちょっと遅いわね。体がなまったんじゃない？」

ブレードはすばやく体勢を整えてスイートを追い、イスのあいだの通路のはしに立った。あざけるような表情は消え、目には冷たい怒りが浮かんでいる。だが、通路のはしから動こうとはしないで、ためらうように片方の前足をあげた。

イスとイスのあいだに入るのは避けたいのだ。体の大きなフィアースドッグは、一度入れば出られなくなる危険がある。

ラッキーの胸に希望がめばえてきた。とにかく、マーサがストームを逃がすまで時間かせぎをしよう――それから、ぼくたちも急いで逃げればいい。

だが、簡単にはいかない。すでに二番手のメースがこちらへ迫っている。「〈街の犬〉、逃げられると思うな！」

ラッキーはイスのあいだを走りぬけようとした。ところが、通路のはしにメースが立ちふさがった。ごつい肩をイスとイスのあいだに押しこむようにしながら、ゆっくりと近づいてくる。逃げ道を探したが、もういっぽうのはしはダガーがふさぎ、牙をむき出している。自分の心臓の音がきこえた。逃げられない――！

うしろ足で立ちあがると、上の段に並ぶイスがちらっとみえた。あそこに逃げるしかない。大きく息を吸って床をけり、イスの背をとびこえてスイートとブレードのあいだに着地した。

「逃がすか、雑種！」メースが遠吠えをして、あとに続いてとびあがろうとした。ところが、うしろ足をイスの背に引っかけ、のけぞった体が、勢いよくうしろの通路に投げとばされた。床に転がって鼻を強く打ち、痛そうに悲鳴をあげる。

ラッキーは耳を平らに寝かせた――いい気味だ。

ブレードが、意を決したように、イスのあいだを強引に進みはじめた。イスはきしむだけで動かない。ふつうのイスとはちがって、床に固定されているらしい。

「どいて」スイートがいった。「わたしが相手をするわ」

だが、ラッキーは動けない。うしろにはスイートがいて出口をふさぎ、前からはブレードが迫ってくる。下の段にならぶイスにはもどれない——二列下の段には、いまもメースがいて、憎らしげにうなっている。しかたなくラッキーは、ふたたびイスの背をこえて、上の段にとびこんだ。心臓がどきっとする。通路の右のはしに、ダガーが待ちかまえていたのだ。

「こっち！」サンシャインの声がして、ラッキーは左をみた。マルチーズが、もういっぽうの出口で呼んでいる。二列下の段にいたはずのメースは、イスをとびこえ、すぐ下の段にまで迫っていた。激しく吠えながら上下にはねている。イスの背で打った鼻からは血が流れ、長い牙が一本ぬけかけて、妙な角度に曲がっている。

「殺してやる！」メースはむやみに床をけりながら、つばを飛ばして叫んだ。のどにたまった血で声がしゃがれている。

「はやく！」サンシャインが鳴いた。

ラッキーは通路を走りぬけ、わきにどいてくれたサンシャインの横をすりぬけた。サンシャインはブルーノのそばに逃げていく。ブレードとスイートが争う音はきこえるが、ようすをたしかめる余裕はない。仲間たちはフィアースドッグに取りかこまれ、バルコニーのはしに追いつめられている。ラッキーの視線は、階段の上にぽっかりと開いた空間に吸いよせられていた。

「後悔させてやる！」追いついてきたメースが腰を低く落とし、いまにもとびかかりそうなかまえになった。ラッキーは全速力で階段に向かって走った。メースの牙がしっぽをかすめる。べつのフィアースドッグを肩で押しのけてつきすすむ。だが、階段にたどり着く直前で足を踏んばって止まり、わきによけて壁に体を押しつけた。あとを追ってきたメースは、勢いあまって階段をいくつか転げおち、急いで立ちあがった。

「ばかな犬め、これで前にもうしろにも逃げられない」フィアースドッグはあざけり、目をぎらつかせた。くちびるをめくりあげると、弱い光に照らされた血まみれの牙が、ぞっとするほど恐ろしくみえた。

ラッキーは肩をそびやかし、階段の上からメースをみおろした。「へえ、そうか？」相手の目をめがけて、勢いよく前足をつきだす。フィアースドッグは目をしばたたかせ、とっさに顔をそむけた。かみつこうとするが、ラッキーの前足のほうがすばやい。

有利なのは上にいるラッキーのほうだ。もう一度前足をつきだし、思いきって鼻をなぐった。メースは宙にかみつくばかりで、いっこうに反撃できない。「街のネズミ、卑怯だぞ！」

「〈街の犬〉に負けるのが怖いか？」ラッキーはうなった。「フィアースドッグは強いんだろ？

まるで子犬じゃないか！」そのとき、バルコニー席のほうから、悲鳴のような声があがった。スイートだ！　ラッキーは急いで振りかえった。みると、ブレードがスイートの上にのしかかり、床に押さえつけている。

ブレードが勝ちほこって吠える。「これでわかっただろう？　身のほど知らずめ！」

そのとき、べつのだれかが遠吠えをした。追いつめられたような悲しげな声だ。バルコニーの下から響いてくる。どちらの群れも反射的に動きを止め、両耳をぴんと立てた。

あれはストームの声だ！

「あたしときてよ！　あんなやつらといっしょにいなくていいのに！」

ファングのうなり声がきこえる。「おれの居場所はここだ。だれが負け犬の集まりなんかに加わるもんか！　おまえこそ、ここに残れ！　ほんとうの仲間はここにいるんだ」

犬たちは二匹の言い合いに気をとられ、バルコニーのはしに集まりはじめた。ラッキーは、メースを置いて、群れのあいだをかき分けていった。ストームがステージの真ん中に立ち、すぐそばにいるファングを説得しようとしている。マーサが大きな前足で子犬をしきりにつついているが、ストームはがんとして動こうとしない。ラッキーは、がっかりしてしっぽを垂れた。ストームを助けようとあれだけ骨を折ったのに——せっかくのスイートの計画がだいなしだ！

一度逃げたあとに、また引きかえしてきたにちがいない。いまでも、ストームのきょうだいへの愛情は変わらないのだ。危険を承知でファングを連れもどしにきた。

「ストームを逃がすな！」ブレードが吠えた。「全員もどれ！　はやく！」

　フィアースドッグたちはわれに返り、いっせいに階段に向かった。イスにぶつかり、仲間同士で押しあい、もつれ合いながら走っていく。ラッキーは、どうすることもできずに立ちつくしていた。

「あとでとどめを刺してやる！」メースは捨てぜりふを残し、群れのあとを追った。

　スイートが通路からとびだした。「みんな、急いで！　ストームを守るの！」先頭に立って階段をおりていく。ラッキーたちは、夢中であとに続いた。気づけば、自分たちがフィアースドッグを追う側になっている。

　階段の一番下にたどり着いたスイートは、開いたドアから、がらんとした大きな部屋に入った。正面のステージに突進し、短い階段を駆けあがって、ブレードたちの野営地に乗りこもうとしている。ところが、段の上にはダガーが立ちはだかっていた。耳をかまれそうになり、スイートはさっと体を引いた。ラッキーとメースのときとは反対に、今度は、階段の上にいる敵のほうが有利な位置にいる。〈野生の群れ〉は小さく身を寄せあい、攻撃をかわすスイートをみまもった。

「ベータ！」スイートが振りかえった。「上の状況を教えてちょうだい」

ラッキーは、イスの列のあいだに縦にのびた細い階段をのぼり、ステージがみえるところまで引きかえした。ファングは群れの中にもどっている。フィアースドッグたちは、マーサとストームを取りかこみ、二匹のまわりを脅すようにゆっくりと回っていた。

その瞬間――よく知っているにおいがした。ステージのようすに気を取られているうちに、どこからかただよってきていたらしい。鼻をつくにおいで、記憶が一気によみがえる。ぎらつく牙、豊かな毛、がっしりした口が吠える命令。このにおいは――。

いいや、そんなはずがない。あのときたしかに、湖へ落ちていく姿をみたのだ。

スイートが鼻をあげ、不安そうにしっぽをゆらした。においに気づいたのはたしかだが、姿まではみえていない。だが、階段の上にいるラッキーには、その姿がみえていた。信じられない思いで目を見開く――オオカミによく似たあの姿が、フィアースドッグたちのうしろから現れたのだ。アルファだ。〈野生の群れ〉のかつてのリーダーは……生きていた！　スイートが、ちらっとこちらを振りかえる。なにが起こっているのか知りたがっている。だが、この状況をどう説明すればいいのだろう？　アルファはなにをしているのだろう。〈果てしない湖〉の荒波から逃げのびて、群れを助けにきてくれたのだろうか？

　オオカミ犬が一歩前に踏みだすと、フィアースドッグたちが気づいた。マーサとストームのまわりで足を止める。オオカミ犬は頭を低くして、群れに襲いかかった――いや、ちがう！狙いはフィアースドッグじゃない！

「スイート、危ない！」ラッキーが吠えるのと同時に、床をけったオオカミ犬が、ダガーのとなりに着地した。面食らった顔のスイートにとびかかり、階段の下の床に押したおす。身をひねる余裕も与えず、のどに食らいつく。おびえて悲鳴をあげるスイートの体を、つかまえた獲物のようにゆさぶる。

　ラッキーは頭が真っ白になった。なにもみえず、考えられず、感じない。つぎの瞬間、われに返った。怒りでめちゃくちゃに吠えながら、オオカミ犬に突進していく。〈野生の群れ〉が急いで道を開けた。ラッキーはそのままわき腹に頭突きをして、オオカミ犬を床につきとばした。スイートがすばやく身を振りほどく。オオカミ犬は体勢を立てなおし、ふたたびかみつこうとした。だが、スイートも今度は準備ができている。とびすさりながら腰をけりつけ、オオカミ犬をよろめかせた。

「なかなか役に立つじゃないか」

ラッキーはさっとステージをみあげた。ブレードとフィアースドッグたちが、こちらをみおろしている。「オメガとしては便利だ」

ラッキーは息をのんだ。〈野生の群れ〉のかつてのアルファは、フィアースドッグの群れにオメガとして加わったのだ。

スイートはぼう然としている。

「アルファ、どうしてこの群れに？　あんなにフィアースドッグを憎んでいたのに！」

「わたしが憎いのは負け犬だ！」オオカミ犬は鋭い声でいった。「おまえのように、野良犬どもとゴミあさりをする気はない。せいぜい、雑種どもをしつけるがいい。だが、おまえにリーダーの素質はないぞ」

スイートは鼻面にしわを寄せて牙をむき、吐きすてるようにいった。「そんな連中に仕えるなんて！」

オオカミ犬は目をぎらつかせ、ふたたびスイートに襲いかかった。右の前足を払って床に転がす。二匹はもつれ合い、激しく床を転がりまわった。

「オメガ、そいつの息の根を止めろ！」ブレードが遠吠えをすると、敵の群れがいっせいに吠える。

ラッキーは二匹のもとに駆けより、オオカミ犬のかかとにかみついた。すぐにベラが追いつく。ラッキーは、きょうだいの加勢を得て勇気がわいてきた。スイートがわき腹に牙を立てると、オオカミ犬は悲鳴をあげ、ぱっとステージのほうにとびすさった。

「せいぜい、負け犬のリーダーをやっているがいい！」アルファは息を切らしていった。「なんの得にもならんだろうが」

〈野生の群れ〉は、アルファの言葉をきくと、口々に吠えたてた。

「よくもそんなことを！　信じてたのに！」ブルーノがうなる。

「せいいっぱい仕えたのに」ダートは、ぼう然とした顔で鳴いた。「獲物を分けて、なんでも好きにさせて、どんな命令にも従ったのに！」

「フィアースドッグを選ぶなんて卑怯よ！」ベラが吠えた。「こんなふうに裏切るなんて、汚いわ！」

アルファは、勝ちほこったように肩をそびやかした。ラッキーは怒りで体が熱くなった。裏切り者——いつか痛い目をみるぞ！

襲いかかろうとふたたび身がまえたとき、大声が響きわたった。

「もうたくさん！」声の主はストームだ。血を流しながら、ステージの上でしっかりと立っている。「そんなやつと戦ったりしないで！　あたしに反撃させたいだけ——それがこの犬たちの狙いなの。それに、アルファを倒したって、どうせ数では勝てっこない」ブレードに向きなおり、話をつづける。張りつめた表情だが、落ちついた声だ。「やるわ。きょうだいと戦う。ファングかあたしか、どちらかが死ぬまで戦いつづける。そのかわり、これ以上あたしの仲間につきまとわないで」

23 怒りの試練

ブレードが目をぎらつかせ、天井をあおいで叫んだ。「〈怒りの試練〉の準備にかかれ！」

だが、オオカミ犬は命令を無視してステージにのぼり、大またでストームにつめよった。子犬の前に立ちはだかり、憎らしげにうなる。「でしゃばるな、サベッジ。痛い目にあわせるぞ」

ブレードが腹立たしげに振りかえった。「オメガ、わきまえろ！」

オオカミ犬は頭を下げた。「アルファ、失礼を」

「下がれ！」ブレードは鋭い牙をのぞかせた。かつてのアルファに命令できることがうれしくてたまらない顔だ。

驚いたことに、オオカミ犬はおとなしく従った。さっきの言葉はただの当てつけではなく、本心だったらしい——強い群れでオメガになるほうが、弱い〈野生の群れ〉でアルファになるより得だと信じている。ラッキーはいやな予感に襲われた。夢でみた吹雪の記憶がよみがえってくる。〈アルファの乱〉が起こるとしたら、オオカミ犬の判断は正しいのかもしれない。

考えこんでいたラッキーは、ブレードの声でわれに返った。「全員、ステージからおりろ!」フィアースドッグたちが足早に階段をおりはじめると、床に集まっていた〈野生の群れ〉は、警戒して後ずさった。だが、敵はそちらに目もくれない。通路を押しすすんで横一列に並び、うしろ足で立ってイスの背に前足をかける。そこからステージを見張るつもりらしい。

ステージの上には、マーサとストームとファングだけが残された。

「じゃまだ!」ブレードがウォータードッグに吠える。

マーサは耳もかさず、静かな声でストームに話しかけている。なにをいっているかまでは聞き取れないが、考え直すよう説得しているにちがいない。

だが、ストームは首を横に振った。「いいの、やらなくちゃ」やがてマーサは、悲しげにうなだれ、子犬に背を向けて階段をおりはじめた。

〈野生の群れ〉はイスから離れたところで小さく集まり、敵の群れをちらちらうかがっていた。フィアースドッグたちはステージをよくみようとして、イスの上に立ったり、イスの背に前足をかけて伸びあがったりしている。ブレードがステージにあがった。ふたつの群れが息をつめてみまもる中、悦に入った顔で、きょうだいたちのあいだに立つ。

「これより、ストームが〈怒りの試練〉を受ける。フィアースドッグとしての本性をみせることがなければ、負け犬の群れとともにここを出ることを許そう。わたしたちも、役立たずを引きとめるようなまねはしない。もし、フィアースドッグとしての姿をみせたら……」ブレードは、にたりと牙をむき出した。「そのときは、ファングの息の根を止めるまで戦い、この群れの一員となる」

メースとダガーの遠吠えが響きわたる。ラッキーは足がすくみ、吐き気をこらえていた。あの子はもう、ぼろぼろだ。全身にひどい傷を負い、顔は腫れあがっている。耐えられるわけがない。

ブレードは群れに向きなおった。「ただ戦うだけではつまらない。おまえたち、命がけの戦いの勝者はどっちだと思う？　声に出していってみろ。二匹にきかせてやれ！」

ステージのほうを向いたフィアースドッグたちは、低い声でファングの名前を叫びはじめた。

ブレードが床にとびおりて声をあげはじめると、吠え声は意地の悪いかけ声に変わっていった。

「ファング！　ファング！　ファング！　ファング！　ファング！」

ファングは、きょうだいのまわりを回りはじめた。前足で鋭く突き、わき腹にかみつく。

ラッキーはイスの上にとびのったが、目をそむけたくてたまらなかった。二匹の力が互角だとしても、ストームは深手を負っている。いっぽうファングは傷ひとつない。こんなのは公平な戦いじゃない。

ファングがうなりながらとびかかり、ストームの足の傷に牙を立てる。子犬が悲鳴をあげると、興奮したフィアースドッグたちのかけ声はいっそう大きくなった。

「ファング！　ファング！　ファング！　ファング！」

ストームはどうにか体を振りほどき、足を引きずりながら少し後ずさった。すぐにファングが、つぎの攻撃を仕掛けてくる。前足を首に巻きつけて耳にかみつく。ストームは激しく身をよじりながらのど元を守り、体をひねって頭突きをした。ファングがよろめく。ラッキーは、子犬が誇らしかった。あの子はかみつけるチャンスがあっても、こらえてみせた。挑発に乗ってきょうだいを傷つけるようなまねはしなかった。

ふと前足をつつかれて下をみると、サンシャインが、床の赤いじゅうたんからみあげている。

「どうなってるの？　ストームはだいじょうぶ？」小さすぎて、イスに上がることができないのだ。

ラッキーはステージに視線をもどした。そのとき、ファングが横ざまにストームにぶつかり、床に転がした。ストームは必死で立ちあがったが、みるからに息が苦しそうだ。

「すごくがんばってる。だけど、ぼくたちの助けが必要みたいだ」

「どうすればいいの？」マルチーズは真剣な顔でたずねた。

「大きな声ではげましてあげよう」

サンシャインは大きくうなずくと、さっそく吠えはじめた。

「ストーム！　ストーム！　ストーム！」敵のかけ声にかき消されてしまっても、あきらめずに叫びつづける。ラッキーが声援に加わると、ベラも気づいて二匹と声を合わせた。たちまち、〈野生の群れ〉は、ひとつになってストームを応援しはじめた。

ストームは仲間の声に気づくと、急に元気を取りもどした。体勢を立てなおしてファングにとびかかり、攻撃できないように、しっかりと床に押さえつける。

ラッキーは、ふとスイートのようすに目がとまった。すらりと足の長いスウィフトドッグは、イスの背にもたれて伸びあがらなくても、ステージのようすがみえるはずだ。だが、視線はステージではなく、オオカミ犬のほうを向いている。その顔には、ショックと怒りが浮かんでいた。スイートはベータだった……アルファのことを信じていたのだ。ほかの犬たちよりも深く傷ついたにちがいない。

ステージに向きなおると、ファングの口のはしに泡がたまっているのが目についた。かみつき、突進し、一瞬も休むことなく攻撃を続けているせいだ。ほかのことはなにもみえていない。だが、ストームがのしかかってくると、さらに戦意に火がついたようだ。きょうだいを横向きに転がし、のど元の毛皮をかみちぎろうとする。ストームは遠吠えをし、前足で目を守った。ファングが何度もかみつきながら、うしろ足で腹をける。

「反撃しなくちゃ」敵と味方のあげる騒々しいかけ声の中から、ベラの鳴き声がきこえた。

「このままじゃ殺されるわ！」

「だけど、ファングを負かしちゃったらだめなんでしょ？」ビートルは、伸びあがるようにしてステージをみている。「試練に耐えられなかったら、ブレードのところに残らなくちゃいけない」

マーサが、母犬のような怒りをみせて、激しく吠えた。「生きのびられるなら、なんだっていいわ。これ以上仲間を失いたくない！」そういうと、いっそう大きく声を張りあげた。「ストーム、戦うのよ！」

子犬がきょうだいの攻撃をかわす姿をみまもりながら、ラッキーは不安でいっぱいだった。一度でも本気で反撃すれば、怒りに飲まれてしまうかもしれない――がまんしていれば、そのうち相手が疲れるはずだ。

だが、ファングは疲れをみせない。ステージじゅうを走ってストームを追いまわしている。怒りに顔をゆがめて天井をあおぎ、変わらぬ激しさで吠えている。鼻息を荒げ、ふたたび襲いかかった。だが、今度はストームにも準備ができていた。横向きになって衝撃に耐え、相手をあおむけに押したおすと、むき出しになった腹にふかぶかと牙を立てた。ファングの悲鳴が響きわたり、ラッキーは息をのんだ。ストームは、容赦なく牙を食いこませていく。目は怒りに燃え、いまにも相手の腹を引きさいてしまいそうだ。

〈野生の群れ〉は、声援をやめて静まりかえった。ストームは〈怒りの試練〉に負けてしまうのだろうか――？

ファングの頭が、力つきたように、がくんと床に落ちた。ぐったりと倒れて動かない。いったん口をはなしたストームは、ファングののどのあたりで、牙をむき出している。とどめを刺すには、あと一度だけ、かみつけばいい。ブレードが群れを引きつれて階段を駆けあがり、ステージにあがる。フィアースドッグたちが二匹を取りかこむ。ストームは、前足でファングをなぐっている。

「殺せ！」ブレードが、刺すような声でいった。「いままでひどい目にあわされただろう？」

「こいつは弱っている」メースがたきつける。「すべてを終わらせ、おまえの力を証明してみせろ！」

スイートが階段に駆けよろうとしたのをみて、ラッキーは急いで行く手をさえぎった。「いまはやめよう。なにをしてもストームを刺激してしまう」

「じゃあ、どうすればいい？」むこうにいたミッキーがたずねた。

〈野生の群れ〉は不安そうに身を寄せあい、ラッキーはステージを振りかえった。「できることはない。あの子を信じよう。きっと正しいことをしてくれる」心の中で〈精霊たち〉に祈った。どうかストームに、善悪のちがいを教えてやってください——あの子は、いい犬です。自分の心をしっかりとみつめれば、選ぶべき道に気づくはずです。

ストームの姿は、よくみえない——フィアースドッグたちに取りかこまれ、毛並みのいい黒い体のむこうに隠れている。だが、震える体がかすかにみえた。つぎの瞬間、円を作っていたフィアースドッグたちがぱっと後ずさり、あいだからストームが現れた。

「なにをしている？」ブレードがうなる。「試練は終わっていない！　群れの名誉のために、きょうだいの息の根を止めろ！」

ストームは、ばかにしたような表情で振りかえった。顔は血だらけで、ぼろぼろに傷ついた前足を引きずっている。だが、しっかりと胸を張っていた。「群れって？」吐きすてるようにいう。「あんたの群れなんか、どうでもいい。フィアースドッグがみんな残酷だなんて、決めつけないで。あたしは〈野生の群れ〉の一員なの。〈怒りの試練〉にだって耐えてみせた――きょうだいを殺したりしない」

ラッキーは、誇らしくて胸がいっぱいになった。思わずつぶやく。「あの子は、やりとげたんだ！」

階段に向かうストームは足を引きずっていたが、せいいっぱい堂々と歩いていた。そのとき、階段の下で待ちかまえていたオオカミ犬が、子犬に襲いかかろうとするそぶりをみせた。ラッキーは、すばやく二匹のあいだに割って入った。「やめろ、ケダモノ！」ラッキーは、これまでの怒りをぶつけるように、オオカミ犬に向かって遠吠えをした。「最低の裏切り者め！　おまえが死んだと思って、群れは悲しんでたんだ。なのに、こんな仕打ちをするなんて！」

いつのまにか、フィアースドッグたちのいるステージが静まりかえっている。ラッキーは怒りを爆発させた。「恥知らずめ！　いまだって、〈精霊たち〉の掟をやぶろうとした！　ブレードの言葉をきいてなかったのか？　試練に耐えればストームをあきらめるって、約束しただろ！」上をみると、ブレードはステージからこちらをみおろしていた。

スイートがステージのほうに一歩踏みだし、厳しい顔でうなずいた。「ブレード、名誉が大切なんでしょう？」

　ブレードは射すくめるような目つきのまま、しばらくだまっていた。やがて、さっと鼻を振りあげた。「いいだろう、〈街の犬〉。ストームを連れてさっさと失せろ。できるだけ遠くに逃げるがいい。きっと、わたしたちはすぐにおまえたちをみつける。今度みつけたら、生かしてはおかない」

　ムーンとマーサが階段を駆けあがり、ストームを下まで連れていった。ほかの犬たちも子犬を守るように囲み、はげますように体をなめる。

　ブレードはステージのはしに立ち、憎しみに燃える目でこちらをにらんでいた。ほかのフィアースドッグは、顔をこわばらせている。ふいに床を引っかく音がして、ファングがよろよろと前に出てきた。ステージのはしから下をみおろし、ストームの姿を探す。

「おまえのことは絶対に許さない」ファングは遠吠えをした。

　ストームは、目を見開いて振りかえった。「どうして？　助けてあげたのに！」

　ファングは怒りで体を震わせている。「なんで殺さなかったんだ。死んで、おまえをこの群れにもどすほうがマシだった。弱虫のお情けで生きのびるなんて！」

　ブレードが、いらいらと前足で床をたたいている。はやくここを出ないと、気が変わってしまうかもしれない。ストームの耳元でいう。「ファングのいうことなんか、きかなくていい。ストーム、きみはほんとうに勇敢だった。きみの群れはこっちだ」

「わたしたちは、あなたを誇りに思ってる」スイートがうなずくと、ほかの犬たちも口々に賛成した。

足を引きずる子犬を建物の外に連れていきながら、ラッキーは、スイートの言葉をかみしめた。ストームは、命をかけて、〈野生の群れ〉への忠誠を証明してみせたのだ。

24
戦いの夢

〈太陽の犬〉が空をゆっくりとはねていきながら、赤や金にかがやくしっぽをゆらしている。〈月の犬〉はむこうの崖から顔をのぞかせ、あたりが暗くなるのを、いまかいまかと待っていた。〈果てしない湖〉は岩場に打ちよせ、銀色の水しぶきをあげている。ラッキーは崖のはしに立ち、ぎざぎざの影になった町並みをながめた。姿はみえないが、町の荒れた通りにはフィアースドッグたちがいるのだろう。怒りに震えるファングの顔が、一瞬目に浮かぶ。『なんで殺さなかったんだ』という言葉が、なかなか忘れられない。ぶるっと身ぶるいしてうしろを振りかえる。いま気にかけるべきなのは、ファングではなくストームのほうだ。

群れはふたたび、新鮮な水をたたえた池と木立のある草地にもどっていた。そばには、フィアリーの救助隊がくぐってきた崖のトンネルがある。ほとんどの犬たちは、池のそばで体を休めていた。ラッキーは、長い草をかき分けて、群れのもとにもどった。マーサとホワインは、池でストームの傷を洗っている。うすい氷の張った池の水を浴びると、ストームは、あまりの冷たさに悲鳴をあげた。ベラとミッキーがそばにすわり、空気のにおいをかぎながら、あたりに目を配っている。ほかの犬たちは、木の下で二、三匹ずつかたまって身を寄せあい、体を温めていた。

スイートが草をかき分けながら静かに歩いてくると、ストームのそばにすわった。「みんな、集まってちょうだい」

群れは池のそばに集まり、新しいアルファが口を開くのを待った。スイートは、ストームをまっすぐにみた。「あれだけ挑発されたのに、りっぱに耐えてみせたわね。ブレードの狙いは、あなたが怒りでわれを忘れることだった。でも、あなたはほんとうに強かったわ――あの群れのだれよりも強かった」

ストームはしっぽを軽く振り、傷だらけの頭を下げた。

ラッキーは、感謝をこめてスウィフトドッグをみた。スイートは、群れの全員に向かって話しはじめた。「ストームを群れの一員として認めない者、そして、フィアースドッグにもすばらしい犬がいるということを認めない者は、いますぐここを去りなさい」挑むように、目をきらっとさせる。だが、声をあげる犬はいない。ストームが静かに目を閉じた。きっと、群れに受けいれられたよろこびをかみしめているのだろう。

「もちろん、ストームはあたしたちの仲間よ」デイジーが小さな声で吠えた。「でも、これからどうするの？　どこにいくの？」不安そうにうしろをみる。「ここにはいられないでしょ？」

「そのとおりだ」ブルーノが低い声でうなった。「フィアースドッグは、おれたちを皆殺しにするつもりだ――はっきりそういっていた。逃げなきゃならん。うんざりだよ」首を横に振るブルーノは、急に年を取ったようにみえた。

　ラッキーはため息をついた。また野営地を探す旅がはじまるかと思うと、暗い気分になる。だが、ほかにどうしようもない。

「また旅をするなんて」サンシャインがこぼし、ぺたんと腹ばいになった。「家を追いだされたり、なわばりを荒らされたり、そんなことばっかりね。一度目は〈大地のうなり〉、二度目は黒い雲、今度はフィアースドッグ。ちゃんとした野営地をみつけて、平和に暮らしたいだけなのに」

「オオカミ犬はここを知っている」ミッキーが悲しそうにいった。「わたしたちの居場所を新しい群れに教えるはずだ。あいつらは、真っ先にここを探しにくる」

「裏切り者め！」ホワインが目をむいた。「いばり散らしやがって。スイートは、あいつと仲が良かったよな」意地の悪い顔でスイートをみる。「おれたち、新しいアルファを信用していいのか？」

ラッキーはぱっと立った。スイートを疑うようなまねは許さない。

「みんな、ぼくがあのオオカミ犬を信用してなかったことは知ってるはずだ！　みんながあいつを信用しているときだって、ぼくはちがった。こびへつらうやつもいたけど」ちらっとみると、ホワインは首をすくめた。ラッキーは胸を張って続けた。「だけどぼくは、スイートのことは疑わない。スイートこそ、新しいアルファだ。みんなにも信頼してほしい」

「だって、ふたりは前から仲がいいし」スナップが声をあげた。

「でも、スイートは仲間を捨てて敵に寝返ったりしない」ダートが吠える。

ホワインは、前足で地面を引っかいた。「いいや、わかるもんか」

群れの意見はふたつに分かれている。ラッキーは、信じられない思いで毛を逆立てた——どうしてスイートを信用できないんだ？

「静かに！」スイートは吠えた。「わたしだって、みんなと同じくらい、アルファの裏切りにショックを受けたわ。ほんとうよ。それに、ホワインの不安も理解できる。リーダーの座をかけてわたしに戦いを挑みたいのなら、もちろん受けて立つわ」ベラの視線は避けている。「でも、まずは、あなたたちに話しておきたいことがあるの」ちらっとラッキーをみた。「群れの未来にとって、すごくだいじなこと」

ラッキーはとまどい、目をしばたたかせた。

するとスイートは、ラッキーをそっと鼻で押(お)した。「夢の話をして」

とたんに、夢の記憶(きおく)がよみがえってくる。激しい吹雪(ふぶき)の中に立ちつくし、一歩も動くことができない。争う犬たちの荒々(あらあら)しい吠(ほ)え声がする。どうにか気を取りなおすと、群れがふしぎそうに自分をみている。たしかに、スイートは正しい――ほんとうに、あの夢に意味があって、未来をみせてくれたのなら。あれが警告のようなものなら、群れには知る権利がある。

ラッキーはせき払(ばら)いをして、口を開いた。「前から何度も奇妙(きみょう)な夢をみるんだ……犬たちが嵐(あらし)のように戦う夢を」

とたんに、おびえたような声が、群れのあちこちからあがった。

「〈精霊(せいれい)たち〉の戦いの伝説を、夢にみたんじゃないの？　むかし、世界がはじまるときに起こったっていわれてる」ダートがいう。

ムーンは激しく首を振(ふ)った。「いいえ、ちがう。地上で起こる現実の戦いのことよ。わたしもきいたことがあるの。すべてが終わるとき、わたしたちは嵐(あらし)のように戦う。空は白く染まり、川には真っ赤な血が流れる、と。母犬には、そうきかされていたわ！」

ラッキーは息をのみ、口を開けてぼう然としていた。いまのムーンの説明は、ぞっとするほど自分の夢に似ている。ムーンの母犬のいうとおりだったとしたら？〈大地のうなり〉が、嵐（あらし）のような戦いの前触れだったのだとしたら？　すべてが終わるとき、〈アルファの乱〉が起こるのだろうか。

〈囚（とら）われの犬〉たちは、とまどって顔をみあわせていた。〈アルファの乱〉のことをきいたことがあるのは、もともとの〈野生の群れ〉だけらしい。だが、どの犬もあいまいな口調だ。

「戦いには〈精霊（せいれい）たち〉が関係してるはず」スナップがいった。

ストームが首をかしげる。「変なの……嵐（ストーム）って。その言い伝えには、あたしの名前が出てくるのね」

ラッキーは、一瞬（いっしゅん）ストームをみた。子犬の体は、寒さと疲（つか）れでぶるぶる震（ふる）えている。大変な一日だったのだから、むりもない。これ以上は苦しめたくない。「きみは、なにかわけがあって、その名前に決めたんだ」ラッキーは、言葉を選びながらいった。「なにかに導かれて、ストームという名前を選んだはずだよ」

子犬は返事をしない。群れは静まりかえっている。

ラッキーはゆっくりと首を振（ふ）った。「夢の中では、たくさんの群れが争っていた。恐（おそ）ろしい戦いの場に、世界中の犬が集まってきたみたいだった。戦いになんの意味があるのか、いつ起こるのか、ほんとうに起こるのか、ぼくにもわからない。だけど、ひとつ気づいたことがある」口のまわりをなめながら、続きをいうべきだろうかと考える。声に出してしまえば夢が現実になってしまうような気がする。だが、これ以上目をそらすわけにはいかない。「フィアースドッグは、決着をつけるまで、ぼくたちを追いつづけてくるはずだ。いつかは立ちむかわなくちゃいけない。敵を迎（むか）えうって、そして、勝つんだ」ほんとうに勝てるだろうか――ラッキーは胸の中でつぶやいた。〈アルファの乱〉を生きのびることができるだろうか。

「さっき、フィアースドッグと戦ったじゃない――戦ったのはストームだけど」デイジーが声をあげた。「あれが〈アルファの乱〉だったんじゃない？　ストームはブレードをだしぬいたわ。あれで解決したんじゃない？」期待をこめて目を見開き、すがるような表情をしている。

「残念だけど、あれはちがう。感じるんだ。夢にみた戦いの場は、もっと寒くて、地面は真っ白だった。霜（しも）が体じゅうについて、足が氷みたいに冷たくなった」ラッキーの声は、そこでとぎれた。〈太陽の犬〉の赤い光が、しだいに濃（こ）くなっている。ラッキーの鼻先に、白いものがふわりとただよいおちてきた。雨粒（あまつぶ）よりもゆっくりと落ちてくる。つぎつぎに降ってくる白いものが、足元の草の上に小さく積もっていく。

初雪だ。

針のような恐怖(きょうふ)に心臓を刺(さ)され、ラッキーはめまいがした。〈アルファの乱〉が近づいている……もうすぐ、夢が現実になる。

ふと、首に温かいものが触れ、振(ふ)りかえった。スイートだ。きらきらした目が、まっすぐに自分をみつめている。その目をみると、希望がわいてきた。そうだ。やっと、アルファからスイートを取りもどせたんだ――。甘(あま)いにおいを吸いこむと、話を続ける勇気が出てきた。

ラッキーは、群れに向かって話しつづけた。「スイートのいうとおりだ。〈アルファの乱〉が現実に起こるなら、みんなで準備を整えておいたほうがいいと思う。ぼくたちはみんな、つらいことに立ちむかい、変わってしまった世界の中で生きのびる術(すべ)を学んできた。もうすぐ、新しい戦いがはじまる。きっと、命をかけた戦いになる。最後の戦いになるかもしれない。みんなで、戦いの嵐(あらし)を切りぬけるんだ。ぼくたちは〈野生の群れ〉、ぼくたちは生きぬく者(サバイバー)だ！　みんなで立ちむかおう――〈アルファの乱〉に」

作者

エリン・ハンター

Erin Hunter

ケイト・ケアリー、チェリス・ボールドリーらによる６人の作家グループ。大自然に深い敬意を払いながら、動物たちの行動をもとに想像豊かな物語を生みだしている。おもな作品に「ウォーリアーズ」シリーズ（小峰書店）、「SEEKERS」シリーズ（未邦訳）などがある。

訳者

井上 里

いのうえ さと

1986年生まれ、早稲田大学第一文学部卒。訳書に『オリバーとさまよい島の冒険』（理論社）、『それでも、読書をやめない理由』『サリンジャーと過ごした日々』（柏書房）、『涙のあとは乾く』（講談社）などがある。

サバイバーズ 5
果てなき旅

2017年6月15日　第1刷発行

作者　エリン・ハンター
訳者　井上 里
編集協力　市河紀子
発行者　小峰紀雄
発行所　株式会社 小峰書店
〒162-0066 東京都新宿区市谷台町4-15
電話 03-3357-3521
FAX 03-3357-1027
http://www.komineshoten.co.jp/
印刷所　株式会社 三秀舎
製本所　小髙製本工業株式会社

NDC 933　348P　19cm　ISBN978-4-338-28805-7

水辺の地図
PALACE
THEATRE
フィアースドッグの野営地
トウィッチの群れの森
毒の川